O MARIDO PERFEITO MORA AO LADO

Felipe Pena

O MARIDO PERFEITO MORA AO LADO

5ª edição

EDITORA RECORD
RIO DE JANEIRO • SÃO PAULO
2014

CIP-BRASIL. CATALOGAÇÃO-NA-FONTE
SINDICATO NACIONAL DOS EDITORES DE LIVROS, RJ

P454m Pena, Felipe, 1971-
O marido perfeito mora ao lado / Felipe Pena. – 5ª ed. –
5ª ed. Rio de Janeiro: Record, 2014.

ISBN 978-85-01-08846-8

1. Romance brasileiro. I. Título.

10-0249
CDD: 869.93
CDU: 821.134.3(81)-3

Copyright © Felipe Pena, 2010

Capa: Estúdio Insólito

Texto revisado segundo o Novo Acordo Ortográfico da Língua Portuguesa

Direitos exclusivos desta edição reservados pela
EDITORA RECORD LTDA.
Rua Argentina 171 – 20921-380 Rio de Janeiro, RJ – Tel.: 2585-2000

Impresso no Brasil

ISBN 978-85-01-08846-8

Seja um leitor preferencial Record
Cadastre-se e receba informações sobre nossos
lançamentos e nossas promoções.

EDITORA AFILIADA

Atendimento e venda direta ao leitor
mdireto@record.com.br ou (21) 2585-2002

Para Priscila, minha meteorologista.

"Não há nada novo, só repetições. Possuo todos os clichês de um marido. Poderia até ter me casado."

ANTONIO PASTORIZA
(*La muerte de Kalu*, em 2006)

"Chega a parecer que a psicanálise é a terceira das profissões impossíveis, cujos resultados sabemos de antemão que sempre serão insatisfatórios. As outras duas são a educação e o governo."

SIGMUND FREUD
(*Die endliche und die unendliche Analyse*, em 1937)

Personagens principais:

1) Olga — Paciente da clínica universitária, mulher de Carlinho.
2) Carlinho — Paciente da clínica universitária, marido de Olga.
3) Nicole — Estudante de psicologia, estagiária mais velha da clínica universitária.
4) Marcus — Estudante de psicologia, estagiário da clínica e namorado de Nicole.
5) Jurema — Professora da Universidade Anglicana, supervisora da clínica.
6) Bibiano — Professor de Terapias Comportamentais, marido de Jurema.
7) Raquel — Estudante de psicologia, estagiária da clínica, ex-namorada de Marcus.
8) Samantha — Estudante de psicologia, estagiária da clínica, amiga de Karen.
9) Karen — Estudante de psicologia, estagiária da clínica, amiga de Samantha.
10) Virgínia — Aluna do quarto período de psicologia, amante de Bibiano.
11) Pastoriza — Diretor da Faculdade de Psicologia.
12) Arlindo — Pai de Marcus, empresário.
13) Etelvina — Mãe de Marcus, mulher de Arlindo.
14) Rogério — Delegado de polícia.

Esta é uma obra ficcional, uma caricatura psicoliterária. Os personagens, as instituições e as situações são reais apenas no universo da ficção; não se referem a pessoas ou lugares específicos, nem emitem qualquer opinião.

Sumário

Prólogo 13

1. Casais 15
2. Terapeutas 18
3. Libido 23
4. Ego 30
5. Ansiedade 35
6. Terapia 43
7. Obsessão 46
8. Compulsão 55
9. Histeria 64
10. Transferência 79
11. Terapia 88
12. Édipo 91
13. Ética 97
14. Terapia 113
15. Perversão 116
16. Aversão 133
17. Diversão 148
18. Terapia 161
19. Loucura 165

20. Sanidade 178
21. Desejo 192
22. Dor 201
23. Terapia 212
24. Fantasia 215
25. Memória 229
26. Narcisismo 246
27. Angústia 264
28. Persona 282
29. Sublimação 290

Notas e agradecimentos 299

Prólogo

Por que estamos aqui? Sei lá! Culpa dele, só dele. Responde aí, Carlinho! Ele não fala, ficou mudo. Fala, Carlinho! Conta a nossa história. São dez anos. Conta tudo, desde o começo. O primeiro encontro, o vinho, as flores, o beijo. Não, o beijo, não. Disso ele não lembra mais. Depois de um tempo só ficam aqueles estalinhos de boa-noite, como dois compadres siberianos. E as promessas, claro.

Conta pra ela, Carlinho! Como não prometeu nada? Cadê o cara que abria a porta do carro, que elogiava o vestido, que recitava poesia no ouvido, que me olhava com fome e enfiava a língua na minha garganta? Você inteiro foi uma promessa. Ninguém avisou que tinha prazo de validade.

É por isso que estamos aqui, doutora. Eu te chamo de doutora ou pelo nome mesmo? Então prefiro doutora. A senhora pode me chamar de Olga. Não gosto de formalidades. Não é, Carlinho? Fala, Carlinho! Isso aqui é pra nós dois. Terapia de Casal. Pra mim e pra você, entendeu? Continua contando!

Pula pro apartamento. Não é sexo, Carlinho! Quer que eu fale de prazo de validade outra vez? Fala do apartamento, quando fomos morar juntos. Eu sei, você não me convidou. Meus sapatos é que invadiram o teu closet, os vestidos se apossaram dos cabides e as blusas invadiram as gavetas. Pra que você precisava de tantas camisas listradas? E a coleção de calças de lã? No Rio de Janeiro, Carlinho!? Você não convidou, mas também não desconvidou. Outra promessa.

    Claro que era uma promessa. Fiz comidinha, arrumei a cama, até lavei a louça. Uma esposa vitoriana, que nem a tua mãe, a tua avó e toda a italianada da tua família. Como não era esposa? Essa era a maior das promessas.

    Você era perfeito, Carlinho.

1. Casais

Na sala ao lado, outro caso, outros personagens, a mesma narrativa. Em terceira pessoa, é claro, como devem ser os murmúrios, queixas e lamentações. A culpa só cabe na terceira pessoa.

Se o outro é teu inferno, o que ele conta é uma versão de como se chegou lá.

Primeira versão

O sujeito magro, calvo, ligeiramente vesgo, com olheiras de fim de expediente e o pensamento remoto, quase desconectado do mundo, está chegando em casa. Na mão direita, carrega a valise desgastada pelo tempo, onde estão os documentos que terá de analisar durante a madrugada. Na mão esquerda, a chave do carro, com seguro vencido, cuja lataria amassada em um acidente poucos minutos antes é o sintoma mais claro de que a sorte anda longe. Ele respira no compasso da própria disritmia, enquanto inicia o difícil movimento de rodar a maçaneta com a ponta dos dedos.

Ao empurrar a porta, a valise se abre e todos os documentos caem no chão. Ele tenta segurá-los, mas escorrega no pano de chão molhado que está na porta da cozinha e tomba de cócoras no piso gelado. Durante a queda, esbarra na travessa com o jantar e também quebra os pratos de porcelana dispostos lado a lado. O feijão escorre pelas bordas e queima sua perna, passando pelo tecido claro do terno comprado a prazo nas Casas Pernambucanas. O homem esboça um choro raivoso, mas se contém diante da presença da mulher, que chega em casa segundos depois. Ao se deparar com a cena, a esposa leva as mãos à cabeça e se desespera. As primeiras palavras são em voz alta e compõem uma bronca desconcertante. Mas, em seguida, ela se acalma. Pensa um pouquinho, coça as madeixas loiras pintadas no *coiffeur* da Avenida Suburbana, abre um sorriso amargo e destila a frase para o marido:

— Precisamos conversar!

* * *

Segunda versão

A mulher loira, com as unhas delicadamente pintadas e o pensamento na mensalidade atrasada do colégio das crianças, está chegando em casa. Na mão esquerda, carrega a bolsa Louis Vuitton falsa, comprada no camelô, em que estão alguns processos do escritório de advocacia onde trabalha como secretária. Na mão direita, a sacola de supermercado com pequenas compras para o consumo do lar, cuja aquisição se deve apenas ao estouro do limite no cheque especial. Ela quase não respira, ainda intoxicada com a tinta recém-espalhada pelo cabelo.

Ao abrir a porta, quebra duas unhas na maçaneta enferrujada, deixa cair os processos em cima do feijão espalhado pelo piso e assusta-se com a porcelana chinesa, presente de uma tia abastada, quebrada em partes infinitas. O susto também causa um suor atípico, que se mistura com a tinta capilar e escorre pela face ruborizada, diluindo o componente químico do amarelo e transformando-o em verde-água, quase azul. E, para completar, a bolsa do supermercado não aguenta o peso das frutas, que escapam pelo fundilho do saco, espatifando-se pelo chão como se fossem uma papa multicolor.

Quando vê o marido deitado no chão, inerte, sem nenhuma reação diante dos acontecimentos, pensa em todos os problemas do casal e, após alguns necessários segundos de histeria, propõe discutir a relação. A resposta dele é um resumo do quadro:
— Mas tem que ser agora?

* * *

Terceira versão

Não existe. É intangível, infactível, inexequível. Uma entidade metafísica. Se você acredita nela é porque não tem marido, ou não tem mulher. No casamento, só existem a versão dele e a versão dela. Ambas são mentiras.
E vice-versa.

2. Terapeutas

Era inevitável: as histórias de casais lhe lembravam sempre os romances de Gabriel García Márquez. Amores contrariados, amores perdidos, amores frustrados, amores impossíveis. Uma sensação nítida de que não apenas ouvia, mas participava integralmente dos enredos. Imaginava as roupas, desenhava os cenários, criava resoluções para as tramas, viajava para os locais descritos e, acima de tudo, tentava desconstruir os personagens. Talvez fosse ela mesma uma personagem. Não que houvesse algo de mágico naquelas histórias cotidianas, mas sua tendência à idealização sempre a levava ao mundo da fantasia, mesmo nas questões mais triviais, o que, para alguns, era incompatível com sua nova carreira.

Na Faculdade de Psicologia, fazia-se ciência. Não havia lugar para realismos fantásticos e outras pseudoartes ficcionais. Foi o que disseram a Nicole no primeiro dia de aula, logo que entrou na sala e sentou na última cadeira para não chamar a atenção. Aos vinte e três anos, ela não destoava fisicamente das menininhas de dezoito, mas aquela era sua segunda faculdade e, obviamente, não sentia a mesma empolgação das colegas. Nem mesmo agora, aos vinte e oito, no último semestre do curso, prestes a se formar, demonstrava qualquer entusiasmo pela profissão.

Faltava apenas uma matéria para conseguir o diploma: o estágio supervisionado. Mas nada era tão insuportável quanto aquele grupo de pós-adolescentes metidos a terapeutas discutindo os problemas de seus pacientes como se tivessem todas as soluções. Uma fraude. Um embuste. Um logro. A única coisa interessante eram as histórias.

A equipe do estágio funcionava com cinco alunos e uma professora que supervisionava o grupo, ou seja, tinha o aval para transformar ficção em ciência. Cada aluno tratava de quatro a oito pacientes, encaminhados pela Clínica de Psicologia Aplicada da Universidade. Em geral, os pacientes eram pessoas de classe média ou baixa que não podiam pagar um terapeuta e procuravam a universidade como a única possibilidade de tratamento. Em contrapartida, assinavam um termo de compromisso autorizando a divulgação dos casos em congressos e a publicação em revistas científicas. Assim, tornavam-se cobaias oficiais e legalizadas.

A triagem era feita por dois secretários, que encaminhavam o paciente de acordo com o perfil do professor que fazia a supervisão. O grupo de Nicole realizava terapia de casais, tema da tese de doutorado da supervisora, e era composto por quatro mulheres e apenas um homem, o que nem era muito desproporcional, pois a relação era de vinte pra um na faculdade. Mas, naquele grupo, o integrante masculino tinha duas características peculiares: além de ser um dos poucos heterossexuais da psicologia, Marcus era o namorado de Nicole.

Não era bonito, nem tinha qualquer brilho intelectual acima da média, mas conseguira atraí-la graças à fisionomia desamparada que transparecia uma carência quase infantil. As bochechas do menino tinham um tom rosado, meio desbotado, em contraste com as olheiras escuras e as sobrancelhas apontadas para baixo, como se estivesse sempre chorando. Mas algumas colegas da turma achavam que a característica mais atraente era o fato de Marcus ser filho de um importante empresário, dono da maior construtora do país e de uma rede de hotéis.

Ele tinha vinte e dois anos, a mesma idade das outras três meninas do grupo, que Nicole não conhecia muito bem, mas sobre as quais tinha opiniões bem definidas, sem disfarçar os preconceitos: Karen era mimada, histérica, mal-amada e insistia em usar um linguajar chulo, repleto de gírias da favela, algo completamente incompatível com sua origem burguesa. Assim como Samantha, que também era desbocada e cínica, além de metida a milionária, do tipo que anda cheia de joias pela faculdade. E Raquel... Hum, Deus me livre e guarde! Essa era a pior de todas. Uma carreirista, cujo único objetivo na faculdade era arrumar um marido. *Quero que essa loira se afogue no silicone.*

Quando Nicole entrou na sala de reuniões da clínica, era justamente a loira do silicone que relatava seu último caso para a supervisora. Essa era a parte mais irritante do trabalho. Além de atender os pacientes, todos os alunos se reuniam semanalmente para discutir seus procedimentos com a professora. Precisavam contar cada detalhe do atendimento, mas ninguém era tão prolixa quanto Raquel.

— Esse casal que chegou ontem é muito doido. A mulher usa uma bolsa Louis Vuitton falsificada e tem uma tinta estranha no cabelo. O marido é completamente idiota. Mal consegue falar e não tem qualquer coordenação motora. O sujeito é vesgo, careca e usa um paletó velho, todo puído. E as unhas....

— Dá pra ir direto pra queixa do casal? — interrompeu a supervisora.

— Foi mal! Só queria dar o clima. O problema deles é antigo, mas parece que brigaram feio na semana passada. Acho que o marido derramou uma travessa de feijão nela ou vice-versa, não sei direito. O fato é que eles não conseguem se entender...

Pela vigésima vez nos últimos dois meses, Nicole ouviu a mesma história. Mudavam os nomes, os objetos, as situações, mas o enredo permanecia inalterado, absoluto, redundante. Homens e mulheres eram seres previsíveis, ocupados demais para o casamento, ocupados demais para os filhos, ocupados demais para a originalidade.

Mas isso não a aborrecia. Gostava da redundância, aprendia com ela. Redundar não era simplesmente repetir, mas reenvolver a narrativa. Uma oportunidade para usar novas cores sem alterar o quadro e compor os hieróglifos que a permitiam reviver a si mesma nas histórias dos outros.

O relato ruim é que era um fardo. Ouvir aquelas patricinhas narrando a vida alheia como se fosse uma novela mexicana perturbava sua imaginação de romancista e, portanto, prejudicava sua atuação como terapeuta. A psicanálise era uma arte, não um método. O próprio Freud dissera isso em seus textos técnicos. Por que contrariá-lo?

Raquel continuou:

— A mulher disse que vem tentando discutir a relação há anos, mas o marido nunca tem tempo. Eles têm problemas financeiros, vivem no cheque especial, atrasam a mensalidade do colégio dos filhos. Ele reclama da...

A supervisora suspirou profundamente já na segunda frase. Além disso, não escondia a irritação com o atraso de Marcus, o único que não estava na sala. As outras alunas se dividiam entre o desinteresse e a leitura das próprias notas sobre os casos que ainda teriam que relatar. Os olhares para o relógio de parede tornavam-se mais frequentes. Pernas cruzadas e descruzadas perturbavam o raciocínio de Raquel, que pigarreava para disfarçar. Os bocejos pareciam uma forma perversa de provocação, mas eram apenas a expressão mais fiel do estado de ânimo do grupo. Se não fosse pelas batidas na porta, o estupor coletivo alcançaria níveis de tortura chinesa.

— Entre, por favor — disse a supervisora.

Ninguém respondeu.

— Pode entrar! — repetiu, em voz alta.

A falta de óleo e a umidade fizeram ranger os batentes enferrujados, enquanto a luz do corredor formou uma penumbra em volta do homem que entrou na sala. Ao vê-lo, Raquel ergueu as mãos até a nuca e emitiu uma espécie de brado premonitório:

— Não! Não pode ser!!!

O diretor da Faculdade de Psicologia se assustou e deu um passo atrás. Mas ainda pôde ouvir o choro da aluna e se surpreender com as frases balbuciadas entre soluços.

— Coitado do Marcus! Ele não vai aguentar!

Todos os olhares convergiram para Raquel. Como ela poderia saber que o diretor trazia notícias de Marcus?

3. Libido

Do outro lado do campus, o professor Bibiano terminava a aula de Terapia Comportamental para a turma do quarto período. Quarenta e oito alunos se espremiam na pequena sala do bloco J, que fora projetada para apenas trinta e cinco. As carteiras ficavam coladas e mal havia espaço para escrever no quadro. A primeira fila formava um semicírculo para permitir a movimentação do professor, que sempre tropeçava nas mochilas espalhadas pelo chão.

As alunas da frente faziam de propósito. Aproveitavam o tropeço para oferecer ajuda e, inadvertidamente, deixavam o decote à mostra enquanto se agachavam. Não que o movimento fosse necessário, já que as miniblusas exerciam essa função sem qualquer esforço adicional. E ainda havia o espetáculo das pernas cruzadas em movimentos contínuos, como se as microssaias quisessem expulsar os músculos torneados em horas de academia.

Bibiano não ligava, fingia que não via, fazia o tipo "não tô nem aí". Aos trinta e cinco anos, com aparência de vinte e poucos, usava o falso desinteresse como estratégia de sedução. Nos últimos semestres, saíra com diversas alunas da psicologia, mas os encontros eram ruminantemente planejados. Bares fora da cidade, restaurantes na serra e motéis na beira da estrada, com direito a carro alugado, óculos escuros e boné. Quase um roteiro de filme *noir* americano. Casado com uma professora da mesma universidade, queria distância de qualquer escândalo. Tentava ser discreto, o que não era fácil diante do fascínio que exercia. Suas aulas eram as mais concorridas da faculdade.

— As emoções são reflexos inatos que podem ser condicionados através da associação com reflexos neutros — disse, tentando sintetizar a lição do dia.

— Mas podemos interferir nesses reflexos? — perguntou uma aluna.

— Podemos, sim. Fazemos isso através do reforço de um comportamento se quisermos aumentar a sua frequência, ou da punição, se quisermos o contrário. Então, se você quer que seu filho escove os dentes todos os dias, dê algum presentinho para que ele reforce esse comportamento. Da mesma forma, deve puni-lo quando derruba os pratos da mesa. Entenderam?

— Entendi — respondeu a aluna, como se a explicação fosse apenas para ela.

Bibiano continuou.

— Na semana que vem, vamos entrar no capítulo três do livro: imagens mentais. Quero que vocês entendam as diferenças entre as imagens da vida diária — coisas comuns, como a lembrança do que tomaram no café, por exemplo — e as imagens oníricas, produzidas durante o sono. E também vamos falar das imagens fotográficas, que não são o espelho da realidade, mas uma construção sobre essa suposta realidade.

— Professor, no item um do curso você falou de condicionamento clássico e, no item dois, de condicionamento operante. O que isso tem a ver com imagem?

— Tudo, minha querida. Fazemos movimentos condicionados várias vezes ao dia. Desde o caminho de casa até a posição de dormir. Somos como o cachorro de Pavlov. Portanto, se queremos tratar um paciente com terapia comportamental, devemos perceber quais condicionamentos estão regendo a vida daquele indivíduo e tentar reprogramá-los. Por exemplo: se o sujeito tem medo de andar de ônibus, nós alteramos suas rotinas. Ele pode mudar o ponto onde pega a condução, sentar em cadeiras diferentes e até variar as linhas. Fazemos isso tantas vezes até que o paciente nem lembre mais. O importante é oferecer estímulos para que ele passe a associar o conceito de ônibus com o conceito de segurança. Assim, mudamos sua cognição através do recondicionamento e acabamos com a fobia.

— Mas onde entra a imagem nisso tudo?

— Os conceitos são articulados em imagens e também são condicionados. Nossas respostas estão associadas às imagens que temos delas. São condicionadas por essas imagens. Vou provar pra você.

— Como?

— Simples. Vou fazer três perguntas. E quero que você me responda com a primeira coisa que vier à cabeça. Tudo bem?

— Tudo bem.

— Pra começar: qual é o contrário de branco?

— Preto.

— OK. Qual é o contrário de claro?

— Escuro.

— E qual é o contrário de verde?

— Ahnnnn.... Hummm .... Não existe.

Bibiano olhou para o resto da turma, explicou que "azul" não era a resposta correta, e esperou alguns segundos antes de finalizar o exemplo.

— Claro que existe. O contrário de verde é maduro.

A turma deu um longo suspiro.

— Mas ninguém pensou nisso porque eu condicionei vocês a pensarem em cores ou tonalidades. Então, essa foi a única imagem que veio à cabeça da turma. Ficou claro?

— Agora ficou — responderam.

— Na aula que vem, falamos mais sobre isso. Um bom-dia para todos.

Já não lembrava o número de vezes que usara esse exemplo. Sempre funcionava. Para Bibiano, as fórmulas simples eram as mais eficazes. Detestava a psicanálise e as teorias complexas de Freud, Lacan e companhia. Não entendia como alguém ficava anos para resolver um problema psíquico, cobrando fortunas para ouvir histórias do passado e interpretar sonhos. O divã era uma falácia, assim como o inconsciente, o complexo de Édipo e toda aquela baboseira de inveja do pênis. Quem ainda acreditava nessas besteiras?

Tinha orgulho do letreiro exposto na porta de seu consultório: Terapia Comportamental. Cobrava duzentos reais pela sessão, e todos os horários estavam ocupados. Um sucesso. Nas horas vagas, lecionava na Universidade Anglicana, o que não rendia muito dinheiro, mas tinha outras compensações. Além de difundir a teoria comportamental, fazia propaganda do consultório e exercitava a vocação de Casanova suburbano com as ninfetas da turma. O problema é que a última dessas ninfetas invertera o jogo.

— Posso ficar para tirar uma dúvida, professor?

— Claro, Virgínia.

As mãos ficaram trêmulas, o suor escorreu pela lateral do rosto e o olhar fitou o chão, tentando um esconderijo subterrâneo inexistente. Enquanto se despedia dos outros alunos, Bibiano não conseguiu disfarçar o constrangimento. O caso com Virgínia já durava cinco meses, mais do que a soma de todos os casos anteriores. A menina tinha uma confiança perturbadora. Não usava as estratégias infantis das colegas nem se deixava envolver pelas liturgias machistas da sedução. Em vez disso, fazia questão de comandar as ações, distribuir as cartas, falar diretamente.

O romance começara no período passado. Após uma aula, Virgínia seguiu o professor até o consultório e o surpreendeu ainda no elevador. O beijo não foi longo, durou apenas sete andares. Não houve movimentos eróticos nem confissões apaixonadas. Apenas um bilhete deixado no bolso da calça: *farei isso outras vezes!*

E fez. Sempre de surpresa. Bibiano nunca sabia quando e onde, o que não apenas o excitava como também o controlava. Era um escravo das possibilidades, um joguete, um zumbi. Ela o surpreendeu no estacionamento, na biblioteca, no meio da rua, até na porta de casa. E também nas viagens de trabalho, nos intervalos das consultas, no banheiro da academia, no futebol de domingo, no chope depois da praia. Os tempos de bares discretos ficaram para trás. Não tinha qualquer reação. Na verdade, não queria ter. Poderia acontecer naquele exato momento em que terminava a aula. Com um agravante: no encontro anterior, ele prometera que abandonaria a mulher.

O último aluno a sair fechou a porta e deixou o casal sozinho na sala. Virgínia se aproximou da mesa, pousou o fichário, apoiou os cotovelos e sussurrou lentamente, esticando a panturrilha para alcançar o ouvido de Bibiano:

— Já cumpriu sua promessa?

O professor se afastou, passou a mão na testa para enxugar o suor e sentou-se em uma das carteiras da primeira fila. Um tique nervoso dominou sua perna esquerda, que balançava como se tocasse um bumbo. As orelhas ficaram vermelhas. O nariz fumegou a ansiedade incontida, cuja causa principal parecia ser a própria incapacidade de reação. Respondeu com a inércia de sempre:

— Não sei. As coisas não são tão fáceis assim.

Virgínia já previra aquela reação, ou melhor, a falta dela. Teve que apelar para o sarcasmo.

— Que é isso, professor? De onde vem essa falta de iniciativa? Só estou exercitando a sua memória, trazendo uma imagem mental da sua separação. Aos poucos, você se condiciona a aceitar. É isso: apenas uma questão de condicionamento.

— Virgínia, para com isso. Você sabe que, na prática, já estou separado dela. Não temos nada há muito tempo. Apenas moramos na mesma casa.

— Não acredito que essa desculpa venha de um professor de psicologia, um intelectual! Você não percebe que esse discurso é o maior dos clichês? Parece um romance barato, daqueles que vendem em jornaleiro. Homem mais velho, apaixonado por menininha, não consegue largar a esposa e diz que não tem mais nada com ela. Daqui a pouco vai dizer que dormem em quartos separados.

— E dormimos mesmo.

— Assim é difícil! Lembra da tua aula sobre estereótipos? Eles estão todos aqui. Eu sou a Lolita e você o professor babão? Qual é? Somos muito mais do que isso. Não entendo a tua indecisão!

— Já estou velho, Virgínia. Não conseguiria reconstruir minha vida agora. Preciso de estabilidade, de conforto, de segurança.

— Você está com a autoestima lá embaixo, mesmo! Trinta e cinco anos e já se acha um velho.

— Não se trata de idade. Eu sou casado. Você sempre soube e nunca ligou.
— Mas não fui eu que falei em separação.
— Eu sei. Não devia ter dito.
— Mas disse.
— Mas...
— Mas o quê? Ficou covarde? Pra trepar comigo na escada, no banheiro do clube, no Maracanã, você é corajoso. Pra me assumir você não é?
— Também não se trata de coragem.
— Então, do que se trata, digníssimo professor? Qual é o seu problema emocional? Você não acabou de dizer que a emoção é um reflexo condicionado? Então? O que te condiciona? O feijão da tua mulher? Ou será o cheiro de perfume barato?
— Você não entende. Ela acaba com a gente em dois minutos!
— Então você é covarde mesmo! — gritou Virgínia, finalizando a frase com hesitação, num tom mais baixo, arrependida.
— Eu estou apenas...
— Desculpe, Bibiano. Não queria dizer isso. É a primeira vez que eu perco o controle. Não sei o que deu em mim.
— Não tem problema. Mas eu preciso te dizer que...
A discussão foi interrompida por uma aluna que chegara atrasada e tinha perdido a aula. Ela abriu a porta ofegante, sem largar a maçaneta.
— Vocês souberam o que acabou de acontecer com o Marcus?

4. Ego

Marcus saiu de casa às sete da manhã, depois de tomar um café preto e comer metade de uma laranja. Segunda-feira era dia de supervisão, não podia se atrasar. Se chegasse depois das alunas do grupo, não teria tempo para contar os casos de seus pacientes e acabaria sem qualquer orientação durante a semana toda.

Mas, naquela segunda-feira, o motivo da pressa era outro: tinha uma missão a cumprir. Pela primeira vez na vida, sentia-se responsável por um assunto importante, sem a interferência do pai ou de algum de seus asseclas. Ele mesmo descobrira o que estava acontecendo na faculdade. Fizera um trabalho profissional de investigação e se orgulhava disso. Afinal, não era exatamente o que faziam os psicanalistas: investigar?

Assim que chegasse ao campus, deixaria a pasta com os documentos e a sacola com as fitas de vídeo no gabinete do diretor. *Fita de vídeo? Que coisa mais antiga!*, pensou, enquanto arrumava o encosto do banco e colocava o cinto de segurança. Talvez fosse melhor encontrar o diretor após a supervisão, pois não sabia a hora que ele chegaria. Não, não conseguiria se concentrar nos seus casos, muito menos nas palavras da supervisora. *Fodam-se os pacientes!* Esperaria na antessala da direção.

O ruído dos pneus deixou marcas no chão da garagem, cuja porta, na pressa, acabou ficando aberta. A bordo de seu BMW esporte, presente do último aniversário, Marcus desceu a mais de cem por hora pelas ruas estreitas do Horto Florestal até chegar à Rua Jardim Botânico e virar à direita, em direção à Gávea. Ao passar pelo Jockey Clube, quase atropelou uma senhora que atravessava fora da faixa, e ainda avançou o sinal vermelho para pegar a Autoestrada Lagoa-Barra.

Ainda no Túnel Dois Irmãos, percebeu que um Honda e um Passat acompanhavam sua velocidade e também faziam o zigue-zague para as ultrapassagens. *Devem ser os playboys da faculdade*, pensou, sem perceber que o comentário podia se aplicar a ele mesmo. Acelerou ainda mais. Cento e dez, cento e vinte, cento e trinta quilômetros por hora. Em frente à Rocinha, o carro passou por uma lombada e deu um pequeno voo, fazendo a pasta com os documentos cair entre a caixa de câmbio e o banco do carona.

Antes de chegar ao shopping do bairro, o estômago começou a arder. Não sabia se era a adrenalina da velocidade ou a mistura ácida do café com laranja. Quando virou à direita para subir a Estrada das Canoas, os carros que o seguiam passaram direto, em direção à Barra. Marcus sentiu um pequeno alívio. Pequeno, e efêmero, pois a ardência voltou assim que viu a fila para o estacionamento da faculdade.

O campus da Universidade Anglicana ficava numa das áreas mais nobres da cidade, a Floresta da Tijuca, com direito à vista pro mar de São Conrado e à sombra da Pedra da Gávea. Mas, como era frequentada pelos filhos da elite carioca, faltavam vagas para os Mercedes, Audis, Volvos e outros brinquedos dos alunos.

Havia quase uns trinta carros na frente dele. Naquele ritmo, levaria quase meia hora para entrar. Precisava encontrar uma solução. Pensou em estacionar nas ruas transversais, mas elas já deviam estar lotadas. Os flanelinhas tinham até desaparecido. O que fazer?

Marcus deu marcha a ré, manobrou com dificuldade e tentou sair da fila. Mas, quando olhou pelo retrovisor, os dois carros que o perseguiam reapareceram. O primeiro passou por ele, atravessou a pista e o impediu de seguir em direção ao campus, enquanto o outro parou na traseira do BMW para evitar a fuga pelo sentido contrário. Três garotos armados com pistolas o arrancaram da direção. Um deles pegou a sacola com as fitas de vídeo. O outro apanhou a pasta, mas, sem perceber, deixou cair um documento. O terceiro o acertou com uma coronhada na cabeça e o jogou no banco de trás do Honda.

— Perdeu, playboy!

* * *

Karen e Samantha chegaram à sala de reuniões da clínica universitária antes das sete, pois moravam perto do campus, no Condomínio das Mansões. Embora a supervisão só começasse às oito, elas aproveitavam o tempo para botar em dia assuntos mais interessantes.

— Você vai na festa do Diguinho?
— Claro, menina. Não perco por nada.
— Vai rolar funk a noite inteira.
— Tô sabendo. O som é do bonde da Rocinha. Funk pancadão, direto do morro!
— Então, já é! Vai ter mó galera da facul!

— Ele é da engenharia. Vai ter muito homem!
— Uhuuu!
— E mulher bonita também, porque os caras sabem escolher.
— Também gosto! — disse Karen, elevando o lábio superior para direita numa risada contida.
— Já comprou a roupa?
— Ainda não. Vamos pro shopping depois da supervisão?
— Já é!

Abriram os cadernos com as anotações sobre os pacientes apenas para marcar o lugar na mesa. Espalharam réguas e canetas esferográficas em volta, além de alguns livros que pareciam nunca ter sido abertos. Cada caso de que tratavam estava descrito com uma cor, como num diário de adolescente, cuja letra caprichosamente desenhada lembrava blocos de caligrafia.

— A gente chegou muito cedo hoje — comentou Samantha.
— É melhor. Assim, falamos primeiro. Ou você não lembra que quase ficamos de fora na semana passada? A gente tem que falar sobre os casos. Eu tô perdidinha. A chapa tá esquentando! Não sei mais o que dizer pros meus pacientes. Tem horas que fica um longo silêncio na sessão. É um terror — disse Karen.
— Você sabe que isso não adianta. A Raquel sempre vem de carona com a professora e acaba tomando a nossa frente na supervisão.
— Mas hoje vai ser diferente.
— Não entendi.
— Essa vaquinha não vai conseguir se dar bem.
— Posso saber por quê?
— Porque eu preparei uma surpresinha pra acabar com o lero daquela puxa-saco.
— Qual é a parada?

Karen fixou o olhar no telefone que estava em cima da mesa. Sua resposta foi pausada, firme. A voz saiu grave, metalizando as sílabas:

— A Raquel não vai conseguir falar muito hoje.

5. Ansiedade

O diretor da Faculdade de Psicologia soube do sequestro de Marcus logo que chegou ao gabinete, poucos minutos depois das oito da manhã. Antonio Pastoriza era um psicanalista famoso, cujas credenciais como intelectual eram tão conhecidas quanto as polêmicas em torno de seu nome. Tinha fama de irascível, descontrolado, com um temperamento imprevisível, capaz de demitir um professor num dia e readmiti-lo no outro, sem explicar o motivo. Anos antes, quando era diretor de uma outra faculdade carioca, ajudara a desvendar um crime ocorrido no meio do campus, que ficava ao lado de uma favela. Desde então, passara a viver fora do país, em uma cidade do sul da Galícia, e desistira da carreira para se dedicar à literatura.

Os livros de Pastoriza seguiam um gênero conhecido como ficção jornalística, termo redundante, porém preciso. Ele pesquisava casos publicados nos jornais e desenvolvia uma narrativa ficcional para debater os temas abordados. Toda a sua prosa se baseava nessas reportagens, às quais ele acrescentava elementos e personagens da ficção. Não tinha compromisso nem com a literatura nem com a realidade. Só com a imaginação, a invenção, a farsa. Sua linguagem era trivial mesmo, sem qualquer tipo de recurso estilístico. Além de misturar tempos verbais, abusava dos adjetivos e dos clichês, principalmente na construção dos personagens. Também ignorava a crítica acadêmica e a pretensa erudição dos autores contemporâneos, mais preocupados em mostrar a própria genialidade do que em contar uma boa história.

Escrevia em espanhol — que era sua língua natal —, usava diversos pseudônimos e não se importava em utilizar as fórmulas do best seller para atrair leitores, embora não tivesse sucesso com essa estratégia, já que as vendas nunca ultrapassavam os dois mil exemplares. Ninguém se lembrava de suas obras universitárias, que eram chatas, herméticas e bestas. Muito menos das pesquisas de mestrado, doutorado e pós-doutorado. Aquela vida parecia ter ficado no passado. Parecia.

Voltou para a academia graças a um pedido pessoal do reitor da Universidade Anglicana, que o conhecia desde a infância. Mas já estava arrependido. Não havia nem dois meses que assumira o cargo e novamente se encontrava no meio de uma trama policial. Só podia ser um sinal de algum Deus, quem sabe do próprio Freud ou de São Jung, que está sentado à direita de Ferenczi, entre Lacan e Winnicott, no Paraíso dos psicanalistas, cujo nome terreno é Paris, embora alguns *hermanos* insistam que seja Buenos Aires. De qualquer forma, estava diante de algo transcendental, um aviso divino para permanecer do lado de fora.

Foi o que pensou quando entrou na sala da supervisão para falar com a turma e viu a reação de Raquel antes mesmo de contar sobre o sequestro.

— Como você sabe que eu vim falar sobre o Marcus? — perguntou.

Raquel jogou o caderno em cima do diretor, empurrou a porta e correu para o lado de fora. A supervisora pediu licença e foi atrás dela. Ao lembrar da conversa que tiveram antes, Samantha olhou com desconfiança para Karen, que permaneceu imóvel, sem qualquer expressão facial. Nicole iniciou um movimento de sucção com os lábios, acompanhado de uma gagueira recém-adquirida.

— O que hou-ve-ve com o meu na-mo-mo-rado?

— Desculpe, eu não sabia que ele era seu namorado — respondeu Pastoriza.

— Era? Como assim, era?

O diretor percebeu o ato falho imediatamente. Tentou corrigir, mas era tarde. A menina largou a cabeça sobre a mesa, deslizando as unhas pelo cabelo em arranhões largos. Os joelhos se juntaram em um gesto de esfoliação contínua. O atrito reabriu a casca da cicatriz antiga, adquirida em momentos diametralmente opostos. Um grito agudo (o segundo em menos de meio minuto) ecoou pela sala. O som reverberou pelo corredor antes de atingir os outros cômodos da clínica.

Pastoriza puxou uma cadeira, sentou-se ao lado de Nicole e pediu às outras alunas que saíssem. Depois de alguns minutos, a menina conseguiu articular a pergunta novamente.

— O que aconteceu com o meu namorado?

— Pra começar, desculpe pelo verbo no passado. Na verdade, eu não sei exatamente o que aconteceu com ele.

Nicole ergueu o rosto sobre os cotovelos para encarar o diretor.

— Como não sabe exatamente?

— Eu tenho a informação de que dois homens o arrancaram do carro na fila do estacionamento. Tudo leva a crer que se trata de um sequestro, mas enquanto não houver pedido de resgate não podemos saber. Ainda é muito cedo.

A cabeça voltou a cair. Um choro contido, porém nervoso, umedeceu a mesa. Os braços cambalearam, paralelos, na direção do relógio da sala. Um olhar de soslaio alcançou os ponteiros, mas ela não conseguiu enxergar a hora. O tempo não fazia sentido: era dissoluto, lasso, incongruente.

Pastoriza reparou nos joelhos esfolados. Apesar da situação dramática, não conseguiu evitar um certo prazer ao avistar as canelas finas um pouco abaixo das marcas, revelando uma sensualidade quase inocente. Tentou não pensar nas causas daquelas cicatrizes, antes que virassem um fetiche e denunciassem a indiscrição.

— Como posso te ajudar? — perguntou.

— Não sei.

— Vamos tomar um suco ou um café?

— Não quero nada.

— Você quer que eu ligue para alguém? Ou que chame seus pais?

— Meus pais não moram no Rio, professor.

— Há alguma tia, uma amiga mais próxima? Enfim, alguém que você gostaria de chamar?

— Não. Mas tem uma coisa que eu quero fazer.

— O quê?

— Preciso ir para a casa do Marcus. Os pais dele devem estar desesperados. Você me leva lá?

Pastoriza não pretendia se envolver, mas não podia recusar o pedido.

* * *

A supervisora alcançou Raquel na parte de trás da cantina central, ao lado da cozinha. Ela estava sentada no meio-fio, com os cotovelos apoiados nos joelhos e as mãos envolvendo o rosto. O cheiro de fritura era forte, já que o almoço começava a ser preparado com muita antecedência. Alguns funcionários do restaurante estranharam a presença da menina, mas não se atreveram a incomodá-la. Era evidente que estava transtornada.

A aproximação da professora seguiu os passos das teorias psicológicas que pregava em suas aulas, cujas marcas principais eram a neutralidade e o mínimo de interferência possível. Não se sentou ao lado da aluna, nem lhe dirigiu a palavra. Em vez disso, permaneceu de pé, na sua frente, fazendo uma sombra corporal que a envolvia completamente. Esperava que a iniciativa partisse de Raquel, o que demorou quase dez minutos para acontecer.

— Por que você veio atrás de mim?
— Não vim atrás de você. Vim saber se você estava bem.
— Não é óbvio que não estou bem?

Como a conversa já estava iniciada, partiu para o passo seguinte. Sentou-se no meio-fio, apoiando as costas com as mãos e cruzando as pernas esticadas, para cobri-las com a saia longa. Tentou dar uma resposta indiferente:

— Nada é óbvio. A dúvida é nossa única certeza.

Raquel ficou irritada.

— Qual é, professora? Frase feita numa hora dessas?
— Não é frase feita. É Descartes. Mas deixa isso pra lá. Filosofia só vale em sala de aula. A verdade é que todo mundo ficou preocupado com você.
— Todo mundo quem? Ninguém gosta de mim naquela turma.
— Que é isso, Raquel? Você estudou o conceito de paranoia. Não o reconhece em si mesma? Além disso, não estou aqui como tua professora. Então, me chama de Jurema. A gente se conhece há quatro anos, eu te dou carona quase sempre e você ainda não me chama pelo nome! Isso não tem cabimento!
— Sem querer ofender, teu nome não é dos mais bonitos.

Jurema atingira o objetivo. Acabara de conseguir um momento de descontração. Já podia se aproximar da paciente, ou melhor, da aluna. Na verdade, como supervisora de Raquel, ela exercia os dois papéis: terapeuta e professora.

— Eu sei que meu nome é antiquado. Quando conheci meu marido, foi a primeira coisa que ele disse.
— Mas o Bibiano não pode reclamar. O nome dele é muito mais feio.
— É verdade. Só que eu tenho uma desculpa: sou quinze anos mais velha do que ele. Na minha época, os nomes eram esquisitos mesmo.

Raquel riu da sinceridade de Jurema, mas estranhou que ela falasse de assuntos pessoais, fato completamente contrário às teorias que defendia. Só que a estratégia da professora era justamente arrancar uma informação pessoal da aluna.

— Como você sabia que o diretor vinha falar sobre o Marcus? — perguntou, já que, teoricamente, nenhuma das duas poderia saber do sequestro.

— Um e-mail — respondeu Raquel.
— Que e-mail?
— Recebi um e-mail ontem à noite. Falava do Marcus.
— Falava o quê?
— Vou te contar.

* * *

Assim que saíram da sala de supervisão, Karen e Samantha passaram na secretaria da clínica universitária. A notícia já havia se espalhado. Os funcionários estavam abrindo os arquivos para localizar os pacientes de Marcus e cancelar as consultas do dia. Alunos de outros grupos se organizavam para ir à reitoria cobrar explicações e exigir mais segurança no campus. Alguns professores conversavam no lobby, enquanto outros anotavam as queixas dos monitores sobre o estado de conservação dos consultórios.

Karen foi a primeira a ouvir a história do sequestro. Parecia surpresa, como se imaginasse outro motivo para a visita do diretor. Samantha soube alguns segundos depois, logo que saiu do banheiro. Novamente, cravou um olhar reprovador na amiga, como se cobrasse explicações. Em seguida, puxou-a para uma sala vazia e fechou a porta.

— Que história é essa de sequestro, Karen?
— Tá maluca?
— Tô bolada contigo.
— Por quê?
— Tu num falou que ia aprontar pra cima da mocreia?
— Tá doidona, garota? Eu falei que ia aprontar pra Raquel, não pro Marcus. Tu acha que eu ia sequestrar alguém?

— Sei não. Tu anda meio descontrolada.
— Me erra, Samantha. Não sou criminosa, não!
— Então o que foi que tu fez?
— Nada demais.
— Desenrola, vai!
— Eu só mandei um e-mail anônimo pra Raquel, ontem à noite, contando umas paradas sobre o Marcus. E disse que tinha enviado uma cópia pro diretor, claro. Porque eu queria assustar a siliconada.
— Que paradas?
— Um papo sinistro aí!

6. Terapia

Sou assim mesmo, doutora. Nem forte, nem fraca. As duas coisas, só que em momentos diferentes. Às vezes, me sinto a Margaret Thatcher: tenho mão de ferro, a testa franzida pra mostrar poder e uma daquelas perucas armadas que todas as ministras usam. Posso resolver qualquer problema, enfrentar qualquer situação, encarar qualquer um que passe na minha frente. Mas, outras vezes, pareço a mulher de um talibã. Não tenho voz, não tenho opinião, não tenho sonho, não tenho nada. E ainda visto aquela roupa que cobre o corpo todo. Como é mesmo o nome? Isso: burca. Eu visto uma burca. Não dá nem pra ver a minha cara.

Pra dizer a verdade, acho que só finjo que sou forte. Esse negócio de franzir a testa dá rugas, doutora. E ninguém acredita que eu usaria uma peruca, né? Nem que fosse pra ser presidente!!! Sei que é machismo, mas quem tem que ser forte é ele: é o homem. Tô falando com você, Carlinho! Diz alguma coisa! Ele fica mudo porque sabe que é um fraco, doutora. Mais fraco do que eu. Franguinho!

Não tô xingando. Também não tô nervosa. É só um desabafo, doutora. Sei que é terapia de casal, que o respeito é importante, que eu preciso ouvir. Mas ele não fala! Fala, Carlinho!

Fala! Tá vendo? Isso é medo. Não fala porque tem medo. Porque é fraco. Se fosse forte, já tinha me assumido. Não ficava me enrolando esse tempo todo. É ou não é, Carlinho?

A fraca sou eu, já entendi. Mas não consigo ser diferente, doutora. Fico confusa. Aí solto a garganta, parto pra violência. Fraqueza, eu sei. Não precisa repetir. Só que o mundo lá fora pensa diferente. Minhas amigas acham que não tenho medo de nada. Só porque eu grito, xingo, esperneio. Como você é corajosa, Olga! Queria ter essa tua força, Olga! Bravo, Olga!

Quem é essa Olga, afinal? Também não sei, doutora. Aliás, não é pra isso que estou te pagando: pra você me dizer quem eu sou? Ou é o contrário? Sou assim porque não tenho alternativa. O mundo só me entende depois de alguns decibéis mais elevados. O Carlinho também. Não é, Carlinho? A gente se conheceu no meio de uma gritaria, na casa dele. Os pais são italianos, falam alto. Tem razão, não era a casa dele, era a casa dos pais.

Que idiota! Como não percebi antes? Deve ser por isso que ele não me assume. Ainda mora com os pais, o frangote. Desculpa, doutora. Não vou xingar. Mas tá na cara: o Carlinho vive sozinho, mas ainda não saiu da casa dos pais. Fala aí, Carlinho! É verdade ou não é? Faz todo sentido. Ele não tem medo de mim. Tem medo de largar a saia da mãe.

Não tenho vocação pra esse papel. Competir com as pururucas do Leblon é uma coisa. Eu até me garanto. Mas competir com a mãe é muita neurose! Assim fica difícil, doutora! Ninguém consegue viver com esse peso. Os homens não querem uma mulher, querem uma babá. Alguém que dê colo, que cuide da roupa, que coloque pra dormir. Alguém que passe a mão na cabeça quando eles fazem besteira. Alguém pra rir das piadas sem graça, dos atrasos, dos esquecimentos.

É isso que você quer, Carlinho? Não sou babá, entendeu? Não vou ficar recolhendo as tuas cuecas pelo chão. Nem vou te perdoar pelo que me fez. Até as babás saem do sério, sabia? De vez em quando, tem que botar de castigo, com a cara virada pra parede. Uma semana sem ver televisão e sem tomar cerveja! Vou te punir, Carlinho. Você vai ver!

Como pra que, doutora? Vou punir pra que ele volte a ser o que era. Não é assim que a gente faz? Quero que ele volte a ser romântico, que mande flores, que pergunte pelo meu dia. Quero que repare no meu cabelo, na minha pele, nas horas que gastei no salão, no dermatologista, na drenagem linfática. Quero que seja meu. Quero que diga: Olga, meu amor, quanta saudade!

É pedir muito, doutora? Fala sério: estou querendo alguma coisa demais? Não é prepotência, nem fantasia. Tenho o pé no chão, sou realista. Estou ligeiramente atormentada, é verdade. Mas nada grave. O que peço é muito simples: quero de volta o que já tive. Quero que o Carlinho volte a ser o que era.

Claro que sei, doutora. Ele era perfeito, só isso.

7. Obsessão

Jurema e Raquel pegaram o elevador para o oitavo andar, onde ficavam os gabinetes dos professores associados, os únicos que tinham direito ao espaço, cuja estrutura era mínima: mesa, computador, duas cadeiras e um pequeno armário, divididos em pouco mais de oito metros quadrados. A aluna sentou de frente para a janela, enquanto a supervisora ligava o computador e guardava alguns livros na prateleira.

A organização era uma das manias sistemáticas de Jurema, além da limpeza e da pontualidade. Gostava de se identificar como britânica tanto nas tarefas domésticas como nas profissionais. Lecionava na Universidade Anglicana havia quinze anos e jamais se atrasara nas aulas. Seus alunos seguiam normas rígidas na elaboração dos trabalhos, não tinham permissão para produzir uma linha sequer que fugisse às regras técnicas. Também estavam proibidos de estender as sessões, reinterpretar as teorias e criar dinâmicas terapêuticas diferenciadas, que fugissem aos padrões determinados por ela.

Em casa, conseguira uma vitória recente: ensinar o marido a lavar as próprias cuecas. Fato que anunciou para todos os amigos e colegas de trabalho como um triunfo de sua moral disciplinadora. Não tinha filhos. A bagunça infantil era insuportável, incompatível com a organização do apartamento, cujos sete cômodos eram milimetricamente ocupados por suas coleções de bibelôs importados. Nem o quarto do casal escapava, embora estivesse reservado para as bonecas de porcelana distribuídas pela cômoda e pelas cabeceiras da cama.

A carreira acadêmica fora construída graças à influência de uma antiga professora, cujas relações nos órgãos de fomento à pesquisa lhe permitiam escolher boa parte do corpo docente da universidade. Jurema estava longe de ser a aluna mais brilhante, mas era indiscutivelmente a mais dedicada. Leia-se corretamente: dedicada à professora, não ao conhecimento. Em outras palavras, conseguira o posto através da incansável atividade de puxar o saco alheio.

Suas teses de mestrado e doutorado se limitavam à compilação de conceitos já discutidos por outros autores, sem qualquer originalidade ou mesmo uma verve um pouco mais crítica. Assim, evitava qualquer desentendimento com as diversas linhas de pensamento. Não que conhecesse todas elas, mas seguia a cartilha da não contestação como forma de sobrevivência. Daí o apego às normas técnicas da produção acadêmica.

Desde que assumira o cargo de professora, exigia o mesmo procedimento conformista de seus alunos. E encontrara em Raquel uma aluna-padrão, um exemplo a ser seguido. Por isso, demonstrara tanta preocupação com sua reação diante do diretor. Não deixaria que ela se prejudicasse na faculdade.

A secretária do departamento trouxe água e café para as duas. Inadvertidamente, comentou o que todos, exceto Jurema e Raquel, pareciam saber.

— E o sequestro do Marcus, hein? Ele era seu aluno, né?

— Que história de sequestro é essa? — perguntou a professora.
— Todo mundo está comentando. O diretor saiu daqui apressado para falar com a senhora. O Marcus foi sequestrado na fila do estacionamento. O carro dele ainda está lá. A polícia já chegou no campus.

Raquel mordeu o copo de plástico. A água escorreu pelas bordas, deslizou pelo pescoço e atingiu a blusa branca de algodão. A mão esquerda esbarrou na xícara e derramou o café, mas ela não sentiu a queimadura. Os olhos começaram a piscar em contrações involuntárias. O globo ocular embranqueceu.

— Não desmaia! Fica comigo! — gritou a professora.

A secretária segurou a aluna pelas axilas, enquanto Jurema jogava um pouco d'água em seu rosto. Não houve desmaio. Em uma reação surpreendente, ela começou a falar sem parar, desconexamente. Palavras soltas se intercalavam com frases desprovidas de sintaxe, algumas em sussurros, outras aos gritos. A professora teve que interrompê-la com violência, desferindo um soco na mesa.

— Devagar! Fala devagar!

A serenidade voltou por alguns instantes, apenas o tempo de organizar o pensamento para dizer o que desejava.

— Eu pensei que o diretor vinha falar sobre o e-mail. Não sabia nada sobre o sequestro — disse Raquel.

* * *

Pastoriza e Nicole seguiam para a casa do pai de Marcus no carro do diretor, uma Pajero Mitsubishi seminova cujo vidro fumê era a garantia de privacidade para as longas jornadas pela boemia carioca. Insone crônico, o professor gostava de frequentar os mesmos locais dos alunos, mas raramente parava pelos bares e boates da moda. Limitava-se a observar de longe, não gostava de ser reconhecido. Só descia do veículo quando se assegurava de que não havia qualquer candidato a psicanalista por perto. O vidro escurecido também permitia que situações como aquela — em que dava carona para uma estudante — não fossem percebidas. Mesmo raras, eram situações inevitáveis, às vezes inocentes, às vezes nem tanto. Nesses casos, não fazia restrições à presença dos candidatos a psicanalista. Ou melhor, das candidatas. Sobretudo candidatas com rosto triangular, olhos verdes e canelas finas.

— Está melhor, agora?

— Não. Só estou mais calma. O choque passou, mas o mal-estar continua — respondeu Nicole.

— Há quanto tempo você e Marcus são namorados?

— Há mais de três anos. Eu já trabalhei na construtora do pai dele.

— Algo na área psíquica? Recursos humanos, seleção de pessoal?

— Não, longe disso. Fui secretária do Doutor Arlindo. Fiz a Faculdade de Letras antes de começar psicologia. Queria ser escritora, mas tinha que me sustentar. Então, cursei uma especialização em secretariado executivo e consegui o emprego.

— Foi lá que conheceu o Marcus?

— Ele vinha muito pouco à empresa. Só nos aproximamos aqui na faculdade.

— Por que você resolveu fazer psicologia?

— Não sei. Acho que foi pelas histórias. Eu penso pela Literatura, não pela realidade. Talvez os melhores terapeutas sejam

Proust, Kafka, Camus, Tolstoi. Ou os detetives do Simenon, do Block e do Montalbán.

— Então, você também gosta de romances policiais? — perguntou Pastoriza, tentando amenizar o clima.

— Pra dizer a verdade, gosto mais daqueles que vão direto ao enredo, sem maiores pretensões. Como *O gênio do crime*, por exemplo. Esse é um que eu adoro!

— Mas é infanto-juvenil.

— Sim, como todo policial deveria ser. A natureza do crime está na infância, no instinto de crueldade que habita cada criança. Não é isso que aprendemos aqui na psicologia?

— Talvez seja um pouco mais complexo, Nicole. Embora eu concorde com a essência do raciocínio.

— Também já li seus romances, diretor.

— É mesmo? E gostou?

— Mais ou menos. Quer dizer... Pra ser sincera, acho os livros muito ruins. A narrativa é superficialista, rasteira. Falta requinte, falta estilo, falta erudição. Não me leve a mal, mas o problema é que você abusa dos clichês. Os personagens são todos estereotipados. Gente comum, com problemas previsíveis e histórias ordinárias.

— Mas não é exatamente isso que a gente vê aqui na clínica? — perguntou o psicanalista, invertendo a tendência simplificadora e superficial dos comentários.

Nicole não respondeu. Não queria discutir com o diretor, muito menos sobre um tema que mexia com sua vaidade. Pastoriza percebeu a hesitação e mudou de assunto, mas não evitou uma nova polêmica.

— O que você acha da Faculdade de Psicologia. Está gostando do curso?

— Vou ser sincera, de novo. Isso aqui é uma bagunça. Chega a ser uma ironia. Muitos professores precisam de atendimento psicológico. Mais até do que os nossos pacientes. Aliás, essa clínica universitária é estranha. Acaba virando um laboratório. Só que as experiências são com humanos. O currículo também está defasado, cheio de matérias que não têm a menor importância. Desculpe. Não queria ser desagradável. Mas foi você que perguntou.

— Tudo bem. Sou diretor há apenas dois meses. Tenho que ouvir mesmo. E você é a pessoa certa. Um pouco mais velha que os outros alunos, mais experiente, mais eloquente. Até a sua linguagem é diferenciada. Você se expressa muito bem, não usa as gírias da garotada.

A Pajero entrou no Túnel Zuzu Angel, cujos cabos de iluminação haviam sido roubados por traficantes da Rocinha. O interior do veículo ficou ainda mais escuro. A luz de freio do carro da frente iluminou o rosto de Nicole, realçando as pupilas e os cílios compridos. Houve uma rápida troca de olhares. Pastoriza mudou de assunto novamente.

— Você me lembra uma ex-namorada.

— É mesmo? Alguma aluna sua?

— Não, nada a ver. Ela era repórter. Também se chamava Nicole e tinha os olhos verdes. Só isso. De repente, eu me lembrei dela. Mas, pensando bem, até que vocês não são muito parecidas.

— Foi difícil pra você?

— O quê?

— Terminar com ela?

— Quem disse que fui eu que terminei?

Já se arrependera de entrar no tema. Tantos cuidados para manter a privacidade e se deixava invadir gratuitamente!? A menina era rápida. Em segundos percebera sua angústia, como só os bons psicanalistas são capazes de fazer. Mas, ainda assim, era uma invasão de sua intimidade. Não acreditou que ele mesmo iniciara a conversa. Precisava mudar novamente.

— Estou curioso sobre um assunto, mas não queria te deixar mais atordoada do que já está.

— Pode falar, professor. A realidade não me assusta, já disse. Só tenho medo da ficção, daquilo que pode ser imaginado, inventado.

— Quem é a aluna que deu um piti quando eu entrei na sala da supervisão?

— Eu sabia que você ia perguntar. Aquela é a Raquel, mais uma das carreiristas caçadoras de marido aqui da faculdade.

— Como ela sabia sobre o Marcus?

— Não sei. Mas foi muito estranho, não foi? Acho que a polícia devia ser avisada. No mínimo, isso é muito suspeito.

— Calma, não estou desconfiando dela. Sei que temos quase todos os tipos de alunos, mas isso não inclui bandidos. Só achei o comentário inusitado. Qual a ligação dela com o teu namorado?

— A Raquel vive dando em cima dele. Mas o Marcus não dá bola. O Doutor Arlindo detesta essa menina. Aliás, a família toda. Eles sabem que o negócio dela é o velho golpe do baú.

— Será? Ela me pareceu muito abalada — disse Pastoriza.

* * *

O delegado Rogério Teixeira, titular da Divisão Antissequestro, comandava a equipe que chegara à universidade para investigar o crime. Embora ainda não houvesse pedido de resgate, tudo levava a crer na hipótese de extorsão. O pai de Marcus ligara pessoalmente para o governador pedindo a presença da DAS, mesmo com a possibilidade de colocar a vida do filho em perigo.

Três agentes faziam a perícia do BMW. Um deles procurava impressões digitais pela lataria, enquanto os outros vasculhavam o interior do carro. Havia marcas de sangue no banco do motorista, uma mochila com roupas sujas na mala e livros espalhados pelo banco de trás. Sobre o tapete do carona, eles encontraram um papel timbrado em cuja margem superior estava o nome e a qualificação de um médico. Parecia uma receita, mas não havia o nome do paciente, apenas o nome das substâncias receitadas: haloperidol e prometazina.

— O que é isso? — perguntou o policial.

— Os nomes genéricos de duas substâncias utilizadas no tratamento de psicóticos, principalmente esquizofrênicos. Mas é preciso um formulário especial para comprá-las. Não pode ser vendida com uma receita comum como essa. Muito menos sem o nome do paciente — respondeu o delegado.

— Doutor, se o menino fosse psicótico não estaria na faculdade.

— Pra começar, não sei se os remédios eram pra ele. E quem disse que psicóticos não fazem faculdade?

O agente olhou para o delegado, coçou a barba e continuou a perícia. Rogério guardou a receita no bolso, depois de colocá-la em um saco plástico. Ele conhecia o médico, um psiquiatra paulista que vendia laudos forenses para advogados criminais, cujos clientes, de posse do documento, conseguiam se livrar da cadeia e eram internados em manicômios judiciários, onde a vigilância era muito menor.

No jargão policial, aquela não era apenas uma receita. Era uma pista.

8. Compulsão

Por que os homens têm medo do compromisso? Por que não sabem ouvir? Por que mentem tanto? Para a psicologia comportamental, as respostas eram simples. Bibiano costumava aconselhar suas pacientes na difícil arte de levar o namorado ao altar. Mas não se limitava a isso. Ensinava-as também a manter os maridos, que era a parte mais difícil.

A chave para todas as respostas estava na capacidade de entender a carência masculina no mundo moderno. Durante toda a história da humanidade, o homem ocupara o lugar de único provedor. Era ele quem saía para conseguir o sustento, fosse através da caça, do comércio ou de qualquer outra atividade externa, enquanto à esposa cabia apenas o papel da espera, dos cuidados com o lar e com os filhos. Isso garantia ao varão uma espécie de visão heroica de si mesmo. Ao sair de casa, ele se arriscava, mostrava sua virilidade, exercia o papel de macho. Mas, com as transformações no mercado de trabalho, tudo havia mudado.

Ao homem moderno não bastava ser um provedor, pois as mulheres também podiam ser. Então, ele precisaria ser um aventureiro para recuperar a visão heroica sobre si. Ainda que fosse um profissional bem-sucedido, a vida cotidiana o deixaria deprimido. Mesmo que fosse um milionário, lamentaria o fato de não ser um Indiana Jones, um super-herói. Daí o medo do compromisso, já que o casamento significava exatamente estar preso ao cotidiano, a uma realidade de fraldas, padaria e compras domésticas. Atrelado a isso, vinha a necessidade de mentir, de criar um mundo paralelo. E a crença de que a esposa não conseguiria entendê-lo. Então, para que ouvi-la?

Os psicólogos comportamentais tentavam fazer com que as mulheres compreendessem essa carência e a suprissem com a mesma arma: mentindo. Os conselhos de Bibiano eram diretos: "Deixe seu marido comprar aquela televisão enorme, compartilhe suas fantasias sexuais, incentive-o a largar o emprego e vagar de moto pela América Latina. E sempre trate-o como super-herói."

Se as mulheres conseguissem fazer isso, o psicólogo garantia que o casamento estaria salvo. "Todo homem espera que a mulher participe de suas fantasias, que veja nele um herói, que entre com entusiasmo na ficção que inventa sobre si próprio." Era o que dizia. E utilizava a própria vida como laboratório.

O consultório de Bibiano ficava em um prédio luxuoso da Avenida das Américas, na Barra. Além de psicólogos, médicos, arquitetos e outros profissionais liberais, havia muitas sedes de empresas que centralizavam a administração no local, cujo serviço de telecomunicações era de última geração. O único problema era a frágil segurança, justificada pela quantidade de pessoas que circulavam pelo edifício. Não dava para pedir a identidade de todo mundo, já que a maioria vinha para consultas com hora marcada e bastaria uma pequena fila para atrasar todos os serviços. A única vigilância possível estava nas câmeras espalhadas pelos corredores.

A primeira paciente chegou às duas da tarde. Vestia uma saia longa, blusa bordada e casaco de renda, além de um lenço negro cobrindo a cabeça e metade do rosto, como se fosse muçulmana. Sofria de Transtorno Obsessivo Compulsivo, mais conhecido como TOC. Bibiano fizera o diagnóstico logo no primeiro encontro, quando ela se levantou oito vezes para lavar as mãos. Segundo a terapia comportamental, era um caso clássico, cuja solução passava pelo famoso recondicionamento pregado em suas aulas. Mas os psicanalistas tinham uma visão diferente do problema.

Ainda no final do século XIX, em seus primeiros textos, Freud separara a neurose obsessiva da neurose de angústia. Na primeira, haveria o deslocamento do recalque para um sintoma, como lavar as mãos, por exemplo. Já, na segunda, o deslocamento seria para uma ideia, gerando a angústia. Em ambos os casos, no entanto, o terapeuta deveria investigar a imagem que fora recalcada para o inconsciente, o que poderia ser um trauma, um acontecimento ou a própria relação com os pais durante a infância. Mas Bibiano era muito mais pragmático. Não se interessava pelo passado. Resolvia o problema na hora, como um alquimista da psique, título pelo qual gostava de ser chamado.

— Então, vejo que a senhora está bem melhor. Sentou-se diretamente na cadeira, sem cogitar a ideia de ir ao lavabo. Já percebeu que a limpeza não tem relação com o número de vezes que lavamos as mãos, mas sim com as ocasiões em que isso é necessário?

— Percebi, doutor. Não tenho mais essa compulsão — respondeu a paciente.

— Muito bem. Vamos dar um passo à frente, então. Quero que você feche os olhos e pense numa imagem de limpeza absoluta. OK?

— OK.
— Pense durante alguns segundos.
— OK.
— Visualize bem essa imagem. Pense em cada detalhe, cada cor, cada pedaço do ambiente.
— OK.
— Tente observar os movimentos, sentir os cheiros, perceber o tato. Use todos os sentidos.
— OK.
— Agora me diga: o que está vendo?

A paciente se levantou, caminhou em direção à janela do consultório e fechou as cortinas, deixando apenas uma pequena fresta por onde passava uma luz opaca. De costas para o terapeuta, ela tirou o casaco lentamente, puxando-o com a ponta dos dedos. Em seguida desabotoou a blusa, abrindo cada casa apenas com a mão direita, enquanto a esquerda massageava a nuca, ainda coberta pelo lenço. Com o dorso nu, percorreu o zíper da saia, que deslizou com suavidade pelas pernas, deixando a lingerie à mostra. Foi preciso um rápido agachamento para completar a performance e responder à pergunta.

— Quer saber o que eu vejo? Eu vejo uma sala de aula, cheia de alunas de psicologia, todas lindas e novinhas. O professor é um terapeuta safado, antiético, filho da puta. Que transa com uma aluna por semana e ainda come as pacientes no consultório. O sujeito não vale nada. E, pra piorar, ainda é casado. Mas não tem problema. Tá vendo essa faca aqui? Hoje ele vai ter o que merece!

O lenço negro caiu. Não era a paciente de Bibiano.
Mas ele já sabia disso.

* * *

O shopping de São Conrado não era o maior da cidade, mas tinha a clientela mais rica. Mulheres de empresários, artistas e socialites frequentavam os corredores de mármore carrara escoltadas por seguranças armados, que, em alguns casos, também exerciam o papel de motoristas dos carros importados estacionados no andar VIP. Grifes internacionais dividiam espaço com os mais prestigiados estilistas brasileiros, além de bistrôs franceses e restaurantes sofisticados, geralmente comandados por algum chefe de cozinha alicerçado à fama pelos programas culinários veiculados na TV a cabo.

Karen e Samantha conheciam bem o lugar. Desde a infância, ainda usando fraldas, deslizavam por aqueles corredores na companhia de babás autorizadas a ceder a qualquer capricho, desde o brinquedo mais caro até bolas de sorvete misturadas com pedaços de chocolate. As vendedoras tinham intimidade com as meninas, cujo crédito era ilimitado. Às mães bastava passar nas lojas com o cartão dos maridos para sanar as dívidas. Algumas contas chegavam até em domicílio, para a comodidade de todos.

Na adolescência, de posse de seus próprios cartões, dispensavam os serviços maternos, mas contavam com o financiamento paterno. Karen era filha do presidente de uma multinacional de tabaco, que compensava as constantes ausências do país com generosos depósitos na conta da filha. O mesmo acontecia com Samantha, cujo pai, um operador do mercado financeiro, assessorava deputados e senadores em transações internacionais.

A entrada na faculdade não significara nada para nenhuma das duas, a não ser a oportunidade de ir às melhores festas do Rio, geralmente lideradas por algum grupo de funk. A aproximação com o ritmo das favelas era naturalmente proporcionada pelos trabalhos comunitários realizados na Rocinha, onde os alunos conheciam não apenas os moradores cadastrados nos projetos sociais, mas os próprios traficantes, a quem pediam permissão para realizar as tarefas.

A presença nos bailes funk da favela era comum entre os alunos da Universidade Anglicana. E, para horror da alta sociedade carioca, muitas das festas estudantis realizadas nas coberturas da Zona Sul eram frequentadas por criminosos procurados pela justiça, os mesmos com quem os alunos faziam amizade durante os trabalhos comunitários.

As histórias de filhinhas de papai apaixonadas por chefes do tráfico enchiam as páginas dos tabloides. Havia forte poder de sedução na clandestinidade, nos fuzis, na hierarquia da favela. Não era só o ritmo conhecido como batidão que invadira o asfalto. A cultura do morro tinha códigos específicos, identificados por condutas próprias e uma linguagem peculiar. Elementos que deslumbravam a juventude dourada carioca, cujas carreiras de pó garantiam o brilho noturno na praia de Ipanema, conforme a definição de um ex-chefe de polícia.

Karen não escondia a fascinação por tudo isso.

— Qual é, Samantha? Esse shopping já tá me dando nos nervos! Três horas aqui e tu ainda não achou a roupa pra festa! Assim não dá. Tô vazando!

— Segura a onda aí, parceira. Na moral! Essa aqui é a última loja.

— Tu sabe que eu tô atrasada. Eu tenho que comprar um fubá lá no morro. E não é só pra mim. A galera quer o pó hoje à noite.

— Hoje à noite? Achei que era pra festa de sábado?

— Vai ficar de comédia com a minha cara? Qual é? Eu tenho que organizar as paradas pro Diguinho, senão essa festa vai babar. O pessoal do movimento tá me esperando lá em cima pra saber se é limpeza. Eles não vão liberar o bonde se não estiver tudo limpo.

— Por que não? Tu é a namorada do dono do morro. Eles não confiam em você?

— Tá maluca? Segura essa boca! Vê se fala baixo!

— Mas se o chefe é teu namorado, qual é o problema?

— Já disse, não vou repetir. Sou mulher de bandido, mas não sou bandida. Eu só ajeito umas paradas, tipo essa festa aí.

Samantha desistiu do vestido. Não encontrava nada compatível com seu tom de pele, uma exigência para todas as roupas que comprava. Saíram da loja e caminharam em direção ao estacionamento.

— Antes de ir, posso desenrolar uma parada contigo? — perguntou Samantha.

— Fala aí!

— Tu ainda não me bateu qual foi a do e-mail pra Raquel e pro diretor.

— Tu não perde essa marra, mesmo!

— Não quer falar, não fala.

— Vou falar só pra tirar essas ideias de sequestro da tua cabeça — disse Karen.

— Então qual foi?

— Eu descobri que o Marcus tava dando uns apertos numa paciente dele lá na clínica. É uma bonitinha, estilo princesa. O marido largou a terapia na segunda sessão e ela passou a vir sozinha. Um dia, eu tava atendendo na sala de espelhos, aquela que dá pra ver a sala do lado sem que a galera de lá veja a gente. Tá ligada?

— Continua.

— Seguinte: mó safadeza! Deu pra ver tudo. Os dois na maior sacanagem. O Marcus esqueceu que estava na sala de espelhos. Eu tirei várias fotos com o meu celular.
— E aí tu mandou pra Raquel e pro diretor?
— Não, pro diretor não mandei, não. Botei isso no e-mail pra assustar a mocreia. Mandei só pra ela mesmo. Todo mundo sabe que a siliconada é amarradona no Marcus. Não quis botar o diretor nessa parada.
— Mas a Raquel pensa que o diretor recebeu uma cópia dessas fotos.
— Deixa ela pensar.

* * *

A mansão de Arlindo ficava no alto do Horto Florestal, a duzentos metros da casa do filho. Na verdade, Marcus não era dono da própria casa, já que a escritura não estava no nome dele. O imóvel fora o presente de dezoito anos do menino, que sempre quis morar sozinho, embora o pai pagasse todas as contas, desde o condomínio ao salário do jardineiro. Porque, nas palavras de Arlindo, casa no Horto podia não ter empregada, mas alguém pra cuidar do jardim era imprescindível.

Morar perto da mansão também garantia alguns privilégios, como roupa lavada, comida caseira e um banco particular à disposição sempre que a grana faltava. A rua era vigiada por seguranças armados, a maioria policiais que faziam bicos nas folgas. As cercas elétricas eram comuns, assim como as guaritas e os muros altos, o que dava a impressão de um complexo penitenciário de segurança máxima.

Logo que o carro de Pastoriza parou na porta, dois vigias sacaram as armas e pediram para baixar o vidro. Nicole colocou o tronco para fora e se identificou. Um dos homens tocou a campainha para chamar a governanta.

— Você vem comigo? — perguntou Nicole.

— Não. Você me pediu carona, eu te trouxe aqui, mas acho que não devo me envolver mais do que isso.

— Vai estar na faculdade amanhã?

— Estou todos os dias. É o meu trabalho. Mas acho que você pode pedir uma licença. Não vai conseguir atender seus pacientes.

— Talvez eu desmarque alguns. Mas há um casal em especial que não posso deixar de atender. É um caso grave, não dá para simplesmente não ir.

— Você é que sabe. Se precisar da minha ajuda, é só falar.

Pastoriza mentiu. Já estava envolvido. Seguiu para a Divisão Antissequestro.

Tinha uma informação para o delegado Rogério.

9. Histeria

O sequestro não é um crime isolado. Envolve a família, os amigos, os vizinhos e boa parte da sociedade, que passa a viver sob a sombra de ser a próxima vítima. Nesse cativeiro coletivo, os reféns são todos aqueles que têm a vida suspensa à espera de um contato. Telefone, correio, e-mail, sinal de fumaça. Qualquer comunicação é aguardada com ansiedade traumática, algo que torna o tempo apenas uma burocrática variação de ponteiros. As horas do relógio têm a inefável função do niilismo. Há uma descrença absoluta em sua continuidade.

Quem assume o comando da negociação fica ainda mais vulnerável. Geralmente é um pai, um filho, um irmão ou alguém ainda mais próximo, cuja tarefa será tratar o pai, o filho, o irmão ou alguém ainda mais próximo como simples mercadoria. É disso que se trata: um negócio. Alguém deseja vender um produto que interessa muito ao comprador. Um produto cujo preço não pode ser avaliado, mas que tem um valor de mercado acima de qualquer cotação. Difícil não misturar as estações, os sentimentos, as interpretações. Os significados são difusos, quase incompreensíveis. O sujeito pira.

O pedido de resgate não é o começo. É preciso pedir uma prova de vida para saber se a família está lidando com o verdadeiro vendedor, aquele que, de fato, possui o produto. Os trotes são constantes, incentivados pela repercussão do caso na mídia ou pela própria fama do refém. Os falsos sequestradores batem o telefone na cara, dizem que vão mandar uma orelha como prova, estimulam o terror. Ao negociador cabe a tarefa do bom senso, outra característica improvável durante a intermediação.

Na mansão de Arlindo, o papel era dele. Desde o primeiro instante, assumira todas as responsabilidades. Ligara para o governador, mandara cortar os telefones da casa do filho e chamara o médico da família para atender a mãe de Marcus, que ficou histérica quando recebeu a notícia. Os sintomas eram claros: braço direito paralisado, tosse nervosa e amnésia. Dona Etelvina esquecera de tudo, apagara o dia inteiro da memória. Era uma defesa contra o ocorrido, convertendo os afetos do trauma para o próprio corpo, o que também se manifestava na paralisia e no pigarro incessante. Estava quase em estado de catalepsia.

Para Arlindo, restavam os procedimentos que haviam regido toda a sua vida empresarial. De imigrante pobre que chegou ao Brasil no porão de um navio da marinha mercante, transformara-se em um empreendedor milionário. A construtora Gitano, que ele fundara havia trinta anos, erguia edifícios, torres, fábricas e hidrelétricas por todo o país, além de ter contratos com vários governos da América Latina e da Ásia para a construção de prédios públicos. A rede de hotéis também se transformara em multinacional, com unidades espalhadas pelo Caribe, Argentina, Estados Unidos e Itália. Alguns analistas financeiros especulavam que a fortuna pessoal de Arlindo era uma das três maiores do país.

Costumam ver os porres que eu tomo, mas não veem os tombos que eu levo, dizia, em resposta àqueles que o invejavam.

Muito fácil avaliar a vida de um homem pelo que ele tem, quando o certo seria avaliar como ele chegou ao que tem. Duas pontes de safena, várias hérnias, pedra no rim, quinze horas de trabalho por dia e quase nenhum tempo para o lazer eram o preço da prosperidade. E, agora, o sequestro do único filho, a fatura recém-apresentada.

    Sempre cuidara da família com inegável prioridade. Não deixaria que nenhum dos seus passasse pelas privações que experimentara na infância pobre do pós-guerra europeu. Casara com Etelvina quando ela ainda era a adolescente assustada que vendia balas no balcão do Cinema América, na Praça Saens Pena. Paixão folhetinesca, fulminante. O rosto da menina ficara irremediavelmente gravado na retina, a ponto de nunca ter se lembrado do filme que estava em cartaz.

    Cada detalhe da vida da mulher tinha o acompanhamento detalhista de Arlindo. Prometera que ela nunca mais precisaria trabalhar, e não passava um dia sem que se esforçasse para manter a palavra empenhada. À medida que os negócios progrediam, o conforto dela aumentava. Primeiro, o apartamento de quatro quartos. Depois, a mudança para a praia. Em seguida, a mansão no Horto, os carros importados, as roupas, os sapatos, as empregadas, as joias, as bolsas de grife. Todos os sonhos de consumo realizados pelo mecenas apaixonado e zeloso, que ainda cuidava dos sogros, cunhados e concunhados, e nunca esquecia um aniversário de casamento, sempre comemorado com surpresas preparadas ao gosto da esposa.

    Para Etelvina, não havia outro adjetivo. Nenhum outro epíteto poderia defini-lo: Arlindo era perfeito.

    Só não era médico. Sua proteção não fora capaz de blindar a saúde da mulher, acometida de uma inexplicável depressão nos últimos anos, cujos efeitos se manifestavam no próprio corpo, em psoríases, vômitos, náuseas, rouquidão, perda de apetite e paralisias. Sintomas agravados pelo sequestro do filho. Quando Nicole chegou à mansão, Etelvina estava trancada no quarto. O clima fúnebre no salão principal era compartilhado por dois primos de Marcus e um tio que trabalhava nas empresas da família. O advogado da construtora falava ao telefone com o Secretário de Segurança Pública. Arlindo descia as escadas acompanhado de dois assessores, a quem dava ordens expressas, em um tom de voz muito mais alto que o de costume.

— Liguem para os fornecedores de cimento e asfalto. Digam que estou decretando uma moratória de dois dias para fazer caixa na empresa. Nenhum pagamento sai da empresa hoje e amanhã. Eles saberão os motivos pelos jornais. Preciso ter dinheiro para pagar o resgate. Nunca deixei de honrar uma dívida em toda a minha vida. Digam aos fornecedores que não será diferente agora.

— Sim senhor, Doutor Arlindo — respondeu o assessor, apesar de saber que as medidas eram desnecessárias, já que o patrão tinha o suficiente no banco para pagar diversos resgates.

A presença da nora não aliviou o ambiente. Nicole deu um longo abraço no sogro, cujas lágrimas ficaram contidas, como se estivessem presas na máscara de negociador que ele acabara de vestir. Não podia se mostrar fraco, o que incluía não demonstrar sentimentos em público e manter a postura de comandante determinado, com tudo sob controle. Uma evidente encenação, percebida por todos, mas igualmente respeitada.

— Que tragédia, minha filha! Mas não se preocupe. Estou tomando todas as providências. Vou trazer o nosso Marcus de volta.

O telefone da casa tocou. Arlindo correu para atender. Alarme falso. Não eram os sequestradores. A espera continuaria.

* * *

O apartamento de Virgínia não tinha flores. Alergia. Não às flores, mas ao néctar que atraía os mais diversos tipos de insetos voadores, como ela chamava as abelhas, colibris e outros frequentadores do bairro do Jardim Botânico. *Se eu quisesse morar na selva, me mudaria para a Amazônia*, era sua justificativa. Só vivia naquele lugar porque o imóvel pertencia a uma tia, que o alugara por uma quantia simbólica.

A pilha de livros na mesa da sala denunciava suas preferências afetivo-intelectuais. Ou haviam sido escritos pelo professor Bibiano ou faziam parte do programa da aula dele. Virgínia não se interessava por mais nada, por nenhuma outra disciplina, por nenhum outro assunto, por nenhuma outra pessoa. Apenas as esporádicas tragadas nos cigarros de maconha enrolados em seda importada a faziam escapar da obsessão.

Quatro cadeiras, um sofá de dois lugares, uma pequena estante e um pufe espalhado pelo chão completavam o ambiente, que se integrava à cozinha pelo balcão estilo bar americano. No quarto, a cama estava sempre desarrumada, os armários não tinham portas e as paredes eram revestidas com um papel azul, já desgastado pelo tempo. O terceiro cômodo era um banheiro minúsculo, cuja cortina do boxe não evitava a inundação durante o banho.

A campainha tocou justamente quando ela tentava conter a água que ameaçava invadir o quarto. Virgínia se enrolou na toalha e seguiu em direção à porta.

— Quem é?
— Polícia Civil. Podemos entrar?

Dois homens vestindo calças jeans e camisas de manga comprida podiam ser vistos pelo olho mágico. Um deles exibia o distintivo. O outro tinha um mandado de busca e apreensão.

— O que querem comigo? — perguntou, ainda com a porta fechada.

— A senhora é a Virgínia?
— Sou.
— Temos um mandado para revistar o seu apartamento. Por favor, colabore.

— Como posso saber que vocês são policiais? Esse documento pode ser falso.

— Minha senhora, há uma viatura parada na rua, basta olhar pela janela. A senhora também pode ligar para a delegacia da Gávea e conferir. Nós aguardamos.

— Só um minuto. Não estou vestida.

A hesitação era apenas uma forma de ganhar tempo. Em poucos segundos, Virgínia esvaziou o saco de maconha na privada e pressionou a descarga. Ainda teve calma para esconder a seda em um casaco, mas não conseguiu se livrar do cheiro que impregnava o apartamento, o que não chegava a ser um problema. *Olfato não é flagrante!* — pensou, antes de abrir a porta.

— Boa tarde, senhora — disseram os policiais, que não conseguiram evitar o olhar constrangido para a menina, que ainda estava enrolada na toalha.

— Não precisam me chamar de senhora. Tenho dezenove anos. Assim vocês me assustam.

— Desculpe. Temos um mandado para revistar a sua casa.

Não era uma situação inesperada. Assim como outros alunos de classe média da Universidade Anglicana, Virgínia ganhava algum dinheiro revendendo maconha no campus. Era uma das dezenas de mulas — apelido criado pelos traficantes — que serviam de intermediárias entre a favela e o asfalto, evitando que os mais abastados corressem o risco de subir o morro para conseguir a droga. Mas, ao contrário dos colegas, ela só mantinha em casa uma quantidade suficiente para o consumo pessoal. O estoque para a venda ficava escondido na faculdade, onde a polícia não podia entrar. Além disso, ela só trabalhava com maconha, que era mais barata e, segundo suas crenças, fazia bem à saúde, amenizando as angústias do dia a dia.

Dois alunos de comunicação haviam sido presos no mês anterior. Ela sabia que podia ter sido dedurada. Mesmo assim, continuou no negócio. Bastava manter a calma, planejar as ações, condicionar os reflexos. Um comportamento normal a livraria de qualquer suspeita.

— Posso saber o que procuram na minha casa? Estou sendo acusada de algum crime ou coisa parecida?

Os policiais ainda estavam desconcertados com a indumentária pouco usual da menina. A toalha cobria apenas metade dos seios e um terço das coxas. O cabelo molhado piorava o desconforto, principalmente quando Virgínia esticava as mãos para fazer um coque e, consequentemente, puxava a toalha para cima.

— Dona Virgínia...

— Pode me chamar de Virgínia, por favor.

— Nosso mandado de busca está assinado há mais de uma semana e tem relação com o tráfico de drogas na Universidade Anglicana. Mas, na verdade, viemos aqui por um outro assunto — disse um dos agentes.

— Não estou entendendo, policial.
— Temos duas denúncias contra a senhora. A primeira, como já disse, é por tráfico. E a segunda é por assédio sexual, seguido de agressão física com ferimento por faca. Mas para essa ainda não temos mandado. Estamos apenas investigando.
— O senhor deve estar enganado. Não sou traficante. E olhe bem para mim. Tenho cara de quem precisa assediar alguém?
— Há poucas horas, um de seus professores foi atacado no consultório. O nome dele é Bibiano. Você o conhece?
— Claro. O que aconteceu? — perguntou Virgínia.
— Nada de grave, felizmente. Apenas um corte no rosto. Um corte profundo. Ele teve que ser atendido na emergência do Hospital Miguel Couto. O corte foi feito com uma faca de cozinha muito afiada. Onde você estava no meio da tarde?
— Aqui mesmo, estudando. Meu Deus! O Bibiano! Ele é nosso melhor professor. Coitado. Não acredito! E como vocês podem achar que eu tenho alguma coisa a ver com isso? Absurdo! Absurdo! Quem fez essa denúncia absurda?
— Podemos revistar o seu apartamento?
— Fiquem à vontade. Não tenho nada a esconder.

* * *

Pastoriza chegou ao portão principal da Divisão Antissequestro no final da tarde. Antes de subir as escadas, cumprimentou o escrivão e dois inspetores que o conheciam. O gabinete do delegado Rogério ficava no terceiro andar, mas era preciso passar por dois postos de vigilância com homens armados de fuzil, além da sala de informática, do almoxarifado e da antessala da direção, o obstáculo mais difícil, já que a secretária barrava qualquer um que quisesse incomodar o chefe.

— Vim falar com o Lobão — disse Pastoriza.

— Quem? Esta é a sala do delegado. O senhor deve estar enganado — respondeu a moça, que usava um coldre recheado com uma pistola automática sobre a perna esquerda.

Quando ouviu o apelido de infância, Rogério abriu a porta violentamente, soltando uma espécie de urro viking que assustou até os vigias da delegacia. Ao abrir os braços, derrubou o abajur da mesinha e arrebentou o botão do paletó, deixando aparecer a Colt 45 que carregava na cintura. Com um metro e noventa de altura, pesando mais de cem quilos, a envergadura do sujeito preenchia quase todo o recinto. Mesmo para um velho amigo, aquele abraço parecia mais um golpe de sumô do que a manifestação de alegria pelo reencontro.

— Fala, meu camarada! — disse, em tom de cumprimento, esmagando as costelas de Pastoriza, cuja resposta foi inaudível, mas devia ter o mesmo significado.

O professor e o delegado se conheciam desde os oito anos de idade. Colegas de turma em um colégio católico da Zona Norte carioca, frequentaram o mesmo bairro, tinham os mesmos amigos, conheciam os mesmos códigos da cidade. Naquela época, entre os anos setenta e oitenta, ainda era possível jogar futebol na rua, soltar pipa nas esquinas, andar de bicicleta pela calçada, deixar a janela aberta, namorar no portão.

O comércio de rua prevalecia sobre os shoppings. Havia a Mesbla no meio do caminho e a Sloper no coração da praça. A Lobrás tinha bandeirinhas, o Palheta servia Coca-cola com sorvete, e o Angu do Gomes matava a fome no final do dia. Passavam horas nas lojas de discos, nos cinemas, nas lanchonetes, nos bares, nas portarias dos prédios, que ainda não tinham as grades pontiagudas contra o mundo externo.

Na adolescência, as festas de quinze anos pareciam acontecer todos os sábados, sem exceção. As debutantes, espremidas em vestidos brancos além do limite da cafonice, distribuíam mais convites do que o estipulado pelos pais desavisados. E ainda havia os penetras, amigos dos amigos dos amigos, que tratavam de encher os clubes com suas calças de carpinteiro, tênis sem cadarço e camisas da marca Píer, cuja sabedoria politicamente incorreta apelidara de "paraíbas invadindo o Estado do Rio".

Se eram todos paraíbas, ninguém era paraíba, nem os próprios paraíbas, os nerds da turma, estes ainda mais entusiasmados em seus mocassins de couro, camisa de botão fechadas até o pescoço e calça de prega no umbigo. Havia igualdade no preconceito, uma espécie de inclusão social na percepção da própria imagem preconcebida. Rir do outro era como rir de si mesmo. Ponto final. E partiam todos com a mesma finalidade: perpetuar os momentos de esbórnia em incansáveis noites de rock nacional na vitrola, cerveja no fígado e garotas impossíveis na cabeça.

Bons tempos, boas lembranças. Para o delegado quarentão, a identidade ficava mais forte na nostalgia. Daí a reação exacerbada, o grito ancestral, o abraço troglodita:

— Antonio Pastoriza! Há quanto tempo, meu irmão! Chegou da Espanha e nem avisou! — disse Rogério, irônico, soltando a clavícula do amigo, que pôde respirar de novo.

— Voltei há dois meses, mas parece que nada mudou nessa cidade. E você? Como vai essa vida de subir morro, enfrentar bandido, tomar tiro? Você é um louco, meu amigo!

— Sou louco, mas faço o que gosto. Escolhi essa vida. E eu já sabia que você tinha voltado. Tá achando que sou mal-informado? Entre aqui na minha sala. Vamos conversar — disse Rogério, antes de dar uma ordem para a secretária: — Não estou para ninguém. Transfira as ligações para o plantão.

Pastoriza sentou no sofá ao lado da janela. O delegado tirou uma garrafa de uísque do armário, puxou a cadeira para perto e encheu dois copos com o *single malt* de dezoito anos. Conversaram sobre o colégio, a adolescência, as festas, os amigos. Lembraram as velhas histórias, falaram mal dos tempos modernos, elogiaram os professores antigos, lamentaram a passagem do tempo. Ou seja, nada além da redundante ressaca da meia-idade, cujo efeito moral é devastador naqueles que dedicaram a juventude ao hedonismo mais sincero.

Já era noite quando voltaram ao presente:

— Fala aí, meu camarada. Sei que essa tua visita não é só de cortesia. O que houve?

— Eu viria te visitar de qualquer jeito, Lobão. Mas acabei misturando as coisas por causa do sequestro desse menino na Universidade Anglicana. Eu sou diretor de lá. Pelo jeito, vou ter que me envolver com o caso.

— Porra! De novo, Antonio?!

Rogério lembrava bem da última vez em que o amigo se envolvera na investigação de um crime, cinco anos antes. Os jornais apelidaram o caso de "O analfabeto que passou no vestibular", numa referência ao pedreiro iletrado que era o principal suspeito de atirar em uma estudante de farmácia no campus da Universidade Bartolomeu Dias, onde Pastoriza também fora diretor. O tal analfabeto havia, de fato, passado nas provas para entrar na faculdade antes de matar dois professores e atirar na menina. Mas os crimes encobriam uma trama muito maior, envolvendo a venda da universidade para um grupo estrangeiro e a guerra entre traficantes e milícias pelo controle da fórmula de uma nova droga sintética, que era produzida no laboratório da própria universidade.

Na época, o Congresso Nacional abriu uma CPI para investigar a abertura de capital das universidades particulares e outra para apurar o crescimento das milícias no país. A Receita Federal autuou diversas instituições de ensino por sonegação fiscal, alguns parlamentares perderam o mandato por participarem do esquema e o chefe de polícia do Rio de Janeiro foi assassinado. O próprio Rogério efetuou a prisão do mandante do crime, que era um dos líderes da milícia carioca. Por isso, ele via aquela situação como um filme repetido.

— Você não aprende, meu irmão! Achei que tinha virado escritor. Tá querendo tirar o meu emprego?

— Não é isso. Eu me envolvi sem querer dessa vez. E estou com um mau pressentimento.

— A tua ansiedade é compreensível. Na verdade, eu já queria falar contigo mesmo. Cheguei a te procurar lá na faculdade, mas você tinha saído. Sou o chefe dessa delegacia, é trabalho meu. Vou te ajudar independentemente de ser meu amigo. O que você sabe sobre o garoto?

— Não sei muito, mas há uma informação que eu preciso te passar: o Marcus me mandou um e-mail ontem à noite dizendo que tinha algo muito importante pra me contar. Algo que ele chamava de "grande esquema". Pelo jeito, devia ser um escândalo, uma denúncia.

— Você tem ideia do que possa ser?

— Não. Só vi o e-mail hoje de manhã, pouco antes de saber do sequestro. Não tinha detalhes. Só falava do tal esquema e pedia para eu recebê-lo no meu gabinete. Mas não deu tempo.

— Ele tinha algum problema na faculdade?
— Não que eu saiba. Mas vocês não suspeitam de ninguém de lá, não é? Isso foi coisa de profissional. O pai do menino é milionário. Deve ter milhares de empregados. Algum deles deve ter dado o serviço pros caras — disse Pastoriza.
— Não foi coisa de profissional, Antonio. Nós monitoramos todas as gangues da cidade. Os sequestradores deixaram digitais no carro, esqueceram documentos, fizeram trabalho de porco. Achamos que são garotos da Rocinha, gente que faz o serviço apenas por encomenda. Temos que descobrir os mandantes. Isso se for mesmo um sequestro, já que ainda não houve pedido de resgate.
— Mas pode ser outra coisa?
— Você mesmo disse que ele queria fazer uma denúncia. Quem sabe alguém descobriu o que era e apagou o garoto! — disse o delegado.
— Que é isso, Lobão? Ele ia fazer uma denúncia pra mim que sou o diretor da faculdade. Só podia ser coisa acadêmica. Isso não acaba em crime.
— É até irônico você falar assim depois do que passou lá na outra universidade. Tudo pode acabar em crime, Antonio! Pode ser a namorada que descobre uma traição. Pode ser a amante abandonada. Uma professora obcecada. Um colega de faculdade com dívidas. Um marido corneado pelo garoto. Até alguém da família. Todas as hipóteses são possíveis.
Pastoriza deu razão ao amigo. Ele mesmo havia desconfiado da reação de Raquel e do pragmatismo de Nicole. Mesmo assim, ainda achava muito remota qualquer possibilidade de envolvimento de alguém da universidade. O e-mail do garoto devia ser apenas coincidência.

Do bolso do paletó, Rogério tirou a receita encontrada no carro de Marcus.

— Você sabe o que é isso? — perguntou o delegado.

— Parece uma receita. E, pelas substâncias, uma receita pra psicótico. Mas não tem o nome do paciente.

— Exatamente. Só tem o nome do médico. O problema é que ele desapareceu. Já coloquei uma equipe atrás do cara.

— Qual é a relação dessa receita com o caso?

— Ela foi encontrada no carro do garoto. Você sabe se ele tinha algum problema mental? Se tinha surtos psicóticos ou coisa parecida?

— Não sei nada sobre isso, Lobão. Mas todos os alunos do último período passam por um rigoroso processo seletivo para entrar no estágio supervisionado. O problema apareceria nas entrevistas.

— Você acredita mesmo nisso?

Pastoriza não acreditava. Sabia que as entrevistas eram mera formalidade, sem qualquer validade efetiva. Os alunos precisavam clinicar para receber o diploma. A universidade procurava não dificultar o ingresso no estágio.

— Olhe bem para o papel — disse o delegado.

— Por quê?

— Não reparou em mais nada?

— Não. Só o que você já falou: o nome do médico e as substâncias haloperidol e prometazina.

— Então olhe com mais cuidado.

Pastoriza examinou o papel atentamente, esquadrinhando cada detalhe. Na parte de cima, havia algo escrito a lápis, quase ilegível. Ele teve que aproximar a lâmpada e usar uma lupa para entender o que significava. Quando terminou de ler, seus olhos ficaram embaçados, como se recusassem o entendimento da mensagem.

O que estava escrito naquela folha tornava o caso muito mais complicado. E, para desespero de Pastoriza, também complicava a sua vida.

10. Transferência

A semana foi conturbada na Universidade Anglicana. Policiais à paisana, jornalistas, apresentadores de TV e até curiosos se misturaram com alunos e professores pelo campus. O sequestro de Marcus foi manchete de primeira página nos principais jornais do país, ininterruptamente, dia após dia. Mesmo quando não havia assunto, a imprensa inventava um tema correlato para falar do caso.

As faltas triplicaram em todos os cursos. Muitos pais, apavorados, impediram os filhos de ir às aulas. E mesmo os estudantes de classe média, a maioria com bolsas de estudo, sentiam-se inseguros na faculdade. Havia um medo tácito, um pânico coletivo inflado pela desinformação e pelo espetáculo midiático comandado pelos caminhões das emissoras de TV, que se dividiam entre a universidade e a mansão de Arlindo.

Na Faculdade de Psicologia, o clima era ainda pior. Os professores não conseguiam dar prosseguimento às ementas, pois sempre eram obrigados a abordar o assunto em classe, instigados por alunos apavorados em busca de alguma catarse consentida. Nunca se aprendeu tanto com a própria neurose: uma espécie de autoexemplificação da matéria. Ao final de cada aula, parecia não haver distinção entre quem ensinava e quem aprendia, ambos reféns de conceitos ineficazes, insuficientes, vazios.

Curiosamente, a procura pelo atendimento psicológico na clínica universitária quase dobrou. A repentina fama causada pela divulgação da atividade exercida por Marcus atraíra gente de todo tipo. Alguns realmente em busca de tratamento, outros apenas ávidos em participar do circo montado no campus. Em qualquer dos casos, mas principalmente no segundo, eram pessoas que precisavam de terapia. Homens ocos, empalhados. Um elmo cheio de nada, como dizia o poema de T.S. Eliot.

Por ordem de Pastoriza, a clínica fechou as portas para novos pacientes. Apenas os casos antigos continuaram a ser tratados. Na equipe de Jurema, houve alguns remanejamentos. Os casais que eram atendidos por Marcus foram divididos entre Karen e Samantha. Nicole suspendeu os atendimentos temporariamente, mas abriu uma exceção para o tal casal que, segundo ela, era um caso grave e não poderia ter o tratamento interrompido. Já Raquel fez questão de manter todos os pacientes, apesar de estar muito abalada com o sequestro.

O que já não era muito profissional ficou ainda pior. Com a confusão, não houve tempo para os encontros com a supervisora, e os alunos tiveram que proceder por conta própria. Não que o trabalho de supervisão fosse imprescindível ou eficiente, mas pelo menos era útil para medir determinados riscos, como ações psicóticas, tentativas de suicídio e agressões físicas, por exemplo.

Alguns pacientes entraram em crise. Um casal atendido por Samantha quebrou o consultório inteiro após uma briga durante a sessão. O motivo: a mulher achou que o marido estava paquerando a terapeuta-aluna, que usava uma minissaia xadrez estilo colegial e indagara sobre a vida sexual da dupla. Não sobrou um móvel inteiro na sala, nem o sofá de camurça, que foi rasgado com a ponta do salto do sapato.

Raquel também teve problemas com o "caso do feijão derramado", como chamava os pacientes cuja última briga fora causada por uma travessa que caiu no chão. O marido decidira sair de casa e escolhera o encontro com a terapeuta para comunicar a decisão. Não houve violência, mas a mulher desmaiou e precisou ser atendida por um médico.

Karen decidiu ignorar o estágio. Faltou a semana inteira, deixando todos os pacientes sem atendimento, inclusive os que vinham transferidos de Marcus. Apenas Nicole compareceu regularmente à clínica para atender o casal que ainda estava sob seus cuidados, cujas sessões eram diárias e sempre duravam mais de uma hora.

Os problemas se estenderam às outras equipes. Junguianos, lacanianos, freudianos, kleinianos, todos pareciam contaminados pelo clima hostil da universidade. A segurança teve que ser chamada algumas vezes para acalmar os ânimos. Dois guardas passaram a fazer plantão em frente à clínica. Frequentemente ouviam-se gritos pelos consultórios. E não eram apenas dos pacientes.

* * *

Até a manhã de sexta-feira a família ainda não havia recebido o pedido de resgate. Na universidade, apenas Pastoriza sabia disso, pois tinha informações de seu amigo, o delegado Rogério. Para o diretor da Faculdade de Psicologia, o caso tomava contornos incomuns, cada vez mais distantes de um sequestro tradicional. Não só pela ausência de comunicação dos criminosos, mas principalmente pelo que estava escrito a lápis na receita encontrada no carro de Marcus, que o envolvia (a ele, Pastoriza) diretamente no caso. A lembrança daquela caligrafia semiapagada o angustiava de uma forma inaudita, aumentando sua insônia e provocando coceiras pelo corpo. Que relação poderia ter com o crime? Quem afinal era o médico responsável pela prescrição? Por que queriam envolvê-lo? O fato é que alguém tentara apagar o que estava escrito no topo da receita, já que a leitura era quase impossível. Mas quem? E por quê? Voltou a pensar nas hipóteses levantadas pelo delegado, mas não conseguia imaginar a participação de ninguém da faculdade.

Ainda estava em casa quando recebeu o telefonema de Jurema.

— Bom-dia, diretor. Desculpe acordá-lo.

— Não tem problema. Já estava de pé.

— Preciso muito te encontrar. A que horas você chega no gabinete?

— Saio em meia hora. Mas por que tanta pressa? Não quer me adiantar o assunto? Estou ficando preocupado. Qual é o problema, Jurema?

Do outro lado da linha, a supervisora ficou muda. Tinha dúvidas se deveria mostrar as fotos de Marcus transando com a paciente. Se o fizesse, teria que envolver Raquel, pois ela recebera o e-mail com as imagens. Por outro lado, ao contar toda a história para o diretor também justificaria a atitude da aluna, que se desesperara antes mesmo de receber a notícia do sequestro. Optou pela segunda alternativa.

— Você lembra quando a Raquel, uma das minhas alunas na supervisão, teve uma crise nervosa na tua frente? — perguntou Jurema.

— Lembro. Achei muito estranho. Parecia que ela já sabia do sequestro. Foi só eu entrar na sala que ela começou a gritar o nome do Marcus. Não entendi nada.

— Pois é. Ela tinha motivos pra isso. Só que eles não têm nada a ver com o sequestro. É sobre esse assunto que quero conversar com você.

— Tudo bem. Daqui a uma hora nos encontramos no meu gabinete.

Assim que desligou o telefone, Pastoriza enviou uma mensagem de texto para a secretária reservando o primeiro horário da agenda para Jurema. Em seguida, ligou para Rogério. Precisava encontrá-lo com urgência. Queria ver a receita novamente, examiná-la com mais cuidado. Alguma coisa estava errada, só não sabia o quê. O delegado não atendeu o celular. Ligaria mais tarde.

Caminhou até a cozinha ainda pensando no assunto. Pegou duas fatias de pão integral e as depositou lentamente na torradeira, que parecia estar em curto. Lembrou-se de um personagem de romance policial cuja torradeira só funcionava de um lado. No caso de Pastoriza, o problema era ainda pior, já que a máquina só torrava nas bordas, deixando o miolo branco e amolecido.

A cafeteira lembrava os filmes de faroeste, pois funcionava com um filtro fixo parecido com a meia do pé esquerdo do John Wayne. Nunca se recordava de comprar uma nova, exceto quando tinha de beber o líquido negro e empoeirado que saía do velho coador. Para completar o menu — e o acervo de eletrodomésticos obsoletos —, um suco de qualquer coisa feito no liquidificador Walitta cujo triturador perdera duas pás, deixando quase inalterável o estado sólido das frutas atiradas no copo.

Em suma, o desjejum de Pastoriza consistia em comer um suco, tossir um café e mastigar as bordas de uma torrada com manteiga. Como alternativa, quando não estava atrasado, recorria à lanchonete da esquina, uma mistura de minimercado e padaria, muito comum no Jardim Oceânico, uma parte da Barra da Tijuca que podia ser considerada como um bairro autônomo, com botecos, feiras livres, supermercados e, sobretudo, esquinas. Muitas esquinas, o que destoava das demais localidades do bairro.

Infelizmente, a maioria das pessoas só conhecia o resto da Barra, cuja marca principal estava no isolamento representado pelo arquipélago de condomínios fechados, incomunicáveis e dependentes do automóvel para qualquer atividade. Mas o pior era o estigma da superficialidade, difundido por personagens de coluna social que prezavam atividades fúteis como aniversários de cachorros, compras extravagantes e a construção de colunas douradas nas coberturas da praia. Isso criara um estereótipo que não correspondia à maior parte dos moradores, mas podia ser amplamente explorado pela imprensa, ansiosa por rótulos fáceis. Para a avareza cognitiva dos repórteres, não havia dúvida: naquele local só moravam os emergentes sociais, que eram novos-ricos sem cultura, sem berço e sem educação.

Na semana anterior, lera um romance policial escrito por um professor de jornalismo metido a romancista. O que ele dizia sobre o bairro era repugnante: "A Barra da Tijuca é uma fauna em equilíbrio homeostático. A cadeia alimentar está bem definida. Não é difícil perceber quem come a carne ou vive dela. Nem observar os vegetarianos ruminando celulose em frente às pantalhas de TV sintonizadas em programas de auditório liderados por modelos carreiristas, nos vários sentidos do termo. Mas a variedade sociológica de espécies sobrevive em harmonia apenas pela unidade religiosa em torno de seus templos, que aqui são chamados de Shopping Centers. Diferentes igrejas para a mesma fé, representada por sua trindade sagrada: consumo, aparência e ignorância."

Pastoriza se irritava com esse reducionismo idiota. Detestava a imprensa marrom da cidade. Um amigo jornalista, cujo senso de autocrítica era um pouco mais forte, tinha a definição perfeita da profissão: "Gostamos do direito à liberdade, mas desconfiamos das responsabilidades inerentes a ela. Quando nos colocam regras de conduta, dizemos logo que é censura. Ao menos, é claro, que sejam as regras do patrão. Aí, damos outro nome: política editorial."

As frases ficaram na memória durante o trajeto de casa até a faculdade, onde se reuniu com Jurema. Quando viu as fotos de Marcus transando com a paciente no consultório da clínica, Pastoriza não pôde evitar a comparação com os tabloides sensacionalistas. Por mais que condenasse a atitude do aluno, não conseguia deixar de imaginar quem estava por trás da câmera e que interesse teria naquelas imagens.

— A Raquel tem alguma ideia de quem mandou essas fotos pra ela? — perguntou.

— Não. Ela não desconfia de ninguém — respondeu Jurema.

— Que consultório é esse?

— A sala de espelhos da clínica universitária.

— A foto é muito ruim.

— Parece ter sido tirada com um celular.

— O que eu não entendo, professora Jurema, é por que a Raquel não questionou a autenticidade das imagens.

— Desculpe, Pastoriza. Eu é que não estou entendendo.

— Se ela é tão amiga assim do Marcus, no mínimo deveria pensar na hipótese de falsificação. Qualquer um pode produzir uma imagem no Photoshop. Quem me garante que isso aqui é verdadeiro?

* * *

Na mansão de Arlindo, após cinco dias sem notícias, um silêncio insano alterava a sensopercepção, causando uma hiperestesia coletiva. Os delírios atingiam desde os seguranças da rua, que chegaram a prender dois garis por achar que estavam vigiando a casa, até as cozinheiras, que juravam ter ouvido a voz do garoto sequestrado pedindo um sanduíche de queijo.

O pai de Marcus dormia ao lado do telefone fixo, com o celular ligado e o computador conectado à internet. O delegado Rogério monitorava todos os canais de comunicação através de localizadores de chamadas e de um aparelho capaz de identificar o endereço caso o resgate fosse pedido por e-mail. A tecnologia permitia determinar o paradeiro em poucos segundos, desde que o servidor não retardasse a transmissão. O objetivo era fazer a prisão em flagrante e estourar o cativeiro, mas Arlindo ainda não autorizara a operação.

Os trotes do primeiro dia terminaram depois que a imprensa divulgou que dois sequestradores falsos haviam sido presos. O primeiro fez contato por um telefone público na Praia de Botafogo e foi detido quando não soube dizer que roupa o menino estava usando. O segundo ligou de um celular e pediu quarenta minutos para responder à pergunta. Os policiais chegaram a segui-lo imaginando que os levaria até o cativeiro, mas o homem telefonou para uma mulher e disse que não poderia dar o golpe porque haviam pedido uma prova de vida.

A notícia das prisões também afastou os verdadeiros sequestradores, deixando-os cautelosos e postergando as negociações. O contato só aconteceu na tarde de sexta-feira, através de um e-mail curto e constrangedor:

"Caro Doutor Arlindo.
Estamos com o Marcus. Prova de vida: no domingo, ele chamou o senhor de hipócrita. O resgate não será pago apenas em dinheiro. Voltamos a conversar.

Ass.: Iara."

No mesmo instante, o delegado Rogério acionou o aparelho de rastreamento e mandou uma equipe para São Conrado.

Não havia dúvidas: a mensagem partira da Universidade Anglicana. O sequestrador estava usando a rede de computadores do campus.

11. Terapia

Que história é essa, doutora? Por que ele nunca voltará a ser o que era? Tudo bem, tô ouvindo: *ninguém se banhará duas vezes nas águas do mesmo rio.* Isso é filosofia grega? Então é antigo pacas! E o que esse tal de Heráclito sabe sobre o Carlinho? *Quando a gente olha para a margem do rio, a água já passou, portanto é outro rio.* Essa parte eu entendi, mas não compreendi. Então: *nada do que foi será, de novo, do jeito que já foi um dia.* É! É poético! Parece letra de música. Mas não esclarece nada.

Chega de metáfora, doutora. Isso deixa a gente ainda mais confusa. Por acaso, você é um rio, Carlinho? Fala, criatura! Pelo menos, responde às perguntas. Esse rio deve estar cheio de piranha, doutora. Não, não tô sendo grosseira. Tô falando de traição mesmo. Conta pra ela, Carlinho.

Eu ouvi, ninguém me contou. Ele não sabe disfarçar, é incompetente até na hora de ter um caso. Que tipo de homem dá o telefone de casa pra amante? Isso é primário, doutora! É muita burrice! O celular existe pra quê? Não, eu não falei com ela. Nem escutei a conversa na extensão. Mas toda vez que eu atendo, desligam. Só pode ser ela, a perua. Às vezes, fico em silêncio pra ver se identifico a voz, mas ela é malandra, não fala nada.

Deve perceber que sou eu pela respiração. Mulher traída respira mais fundo, ofegante. Toda amante sabe disso.

Tenho vontade de procurar um desses garotos marombados de academia e dar o troco. Mas falta coragem. Ia dizer o quê? Prazer, meu nome é Olga, sou corna e tô a fim de me vingar. Quer dar umazinha comigo? Não consigo, doutora. Tenho chifre, mas sou honesta. Ainda me resta dignidade.

Claro que tenho certeza. Pelo olhar, doutora. Não é o olhar dele, é o dos amigos. Fala aí, Carlinho. Confessa logo! Os amigos me olham com pena, como se eu fosse uma coitadinha. Olha lá a chifruda! É isso que eles pensam quando me veem. Todos ficam com aquela cara de segredo, cochichando pelos cantos. Eles também devem ter suas pururucas aí pela rua.

É genético. Há um cachorro no DNA de cada homem, não tem jeito. Só que precisa ser discreto, né, doutora? Meus outros namorados não eram santos, mas não davam bandeira. Nunca tive problema, nunca desconfiei de nada. Só o Carlinho consegue me deixar assim. Por que, doutora? Por que ele não se transforma num ogro verde e fedorento? Claro que ainda me interessaria por ele. A Fiona não gostava do Shrek?

Sei que ela também era uma ogra. Mas tô falando dos homens, não complica. O cara não precisa ser bonito, mas tem que ter pegada. E tem que gostar de uma mulher só. Uma só, entendeu? Conheço uma porção de exemplos, doutora. Tem o Cyrano de Bergerac, aquele do narigão. Lembra dele? E do Lancelot, apaixonado pela rainha? O sujeito não tava nem aí pro Rei Arthur. Tem também o Romeu, maluco pela Julieta. O Bentinho, alucinado pela Capitu. O Titus, perdido de amor pela Berenice. Taí: boa lista. Três caras de pegada: Shakespeare, Machado e Racine.

Não estou confundindo autor com personagem. Quem disse que eram bonitos? Claro que não. O Romeu devia ter um monte de espinhas na cara. Só um cara muito feio fala em forma de verso. Dá um tempo, doutora! Vê se o Carlinho já fez alguma poesia pra mim?! Fez, Carlinho? Fez? Ele não escreve nem cartão de Natal. Tá economizando pra amante, não tem outra explicação. Se fosse um filme, tocaria aquela musiquinha de mulher mal-amada, tipo *Empty Garden* ou *Candle in the Wind*. Detesto o Elton John, doutora.

A realidade é diferente, eu sei. Não pense que vivo no mundo da fantasia. Gosto de cinema, leio romances, vou ao teatro. Mas conheço muito bem a vida real. Só que a minha vida real é isso aí. Real demais, doutora. Não tem a menor graça. A realidade me sufoca. O Carlinho também. Cadê meu príncipe? Fiquei com o sapo e não existe aquele truque do beijo. Na minha realidade, nada se transforma. E ainda vivo o papel de bruxa na história, com a maçã na palma da mão e uma verruga na ponta do nariz. Não sou Gata Borralheira nem Cinderela. Meu nome é Olga, a bruxa.

Tá rindo de quê, Carlinho?

12. Édipo

O que vocês chamam de bebê não existe, dizia o pediatra e psicanalista Donald Winnicott, autor preferido de Raquel. Segundo suas ideias, nos primeiros meses de vida não existe consciência corporal, mas apenas a absoluta dependência da mãe, que passa a ser, ela mesma, o próprio bebê. É o que se chama de unidade dual, em que o eu é o outro, numa espécie de simbiose absoluta.

Para Winnicott, no entanto, tal simbiose só seria saudável se a mãe tivesse a capacidade de ser suficientemente boa, um conceito que sempre deixou Raquel intrigada. Não, a mãe não deveria ser boa, nem muito boa, mas apenas suficientemente boa. O que significava abrir mão do próprio ego, emprestá-lo ao bebê, mas ao mesmo tempo pedi-lo de volta, para que ele, o bebê, pudesse, aos poucos, traçar um caminho rumo à independência.

Raquel achava que a maioria das pessoas não conseguia encontrar esse caminho. Permaneciam dependentes durante a vida inteira, como se estivessem presas a um cordão umbilical invisível. Só não sabia se a culpa era das mães ou dos filhos. Talvez fosse confortável continuar no calor do útero na mesma proporção em que o egoísmo materno interditasse o caminho para a independência. Então, ambos eram culpados.

Como ainda tinha dúvidas sobre o assunto, não gostava de chamar aquela premissa de conclusão, embora fosse tirada das observações sobre o relacionamento entre Marcus e a mãe, Etelvina. Observações que já duravam muitos anos e a haviam levado à Faculdade de Psicologia junto com o amigo de infância. Ou melhor, com o namorado de infância, o único homem por quem se interessara durante toda a vida. Uma vida curta, é verdade, mas a vida que ela conhecia.

A primeira memória remetia ao pátio da escola. Brinquedos gigantes, crianças correndo e o cheiro de chocolate que vinha da merendeira de Marcus, aberta ali mesmo, entre piques e tombos, e partilhada no isolamento cúmplice de uma bolha quase inocente, onde gostavam de morar mais do que em qualquer outro local. Alheios ao mundo em volta, lambuzavam-se com o cacau já derretido pelo calor, espalhando-o pelo rosto em desenhos abstratos que permitiam sentir a textura da pele.

Sentavam-se na mesma carteira da pequena sala de artes, cujo solo coberto de longas almofadas também servia para o cochilo depois do recreio, uma siesta infantil embalada por cantigas abafadas pela respiração de Marcus, sentida a um palmo de distância, frente a frente, na hipnose mútua rumo ao sono. Algumas vezes, ela forçava as pálpebras para permanecer acordada e fitar o menino, observando seus traços, sua cor e os resíduos de chocolate que permaneciam no corpo.

Não havia exercício que não fizessem juntos, aprendendo e desaprendendo na mesma intensidade. Os desenhos, as pinturas, os garranchos a quatro mãos, distribuídos por folhas de cartolina colorida. Um desenvolvimento fácil, motivado, que merecia elogios nas cadernetas pedagógicas. A dificuldade só aparecia quando era preciso interagir com o resto da turma ou se concentrar em um tema que exigisse atenção individual. Por que fazer sozinhos se tinham um ao outro?

Dona Etelvina aparecia no final da tarde, lépida, a bordo do carrão importado, para buscá-los. Antes de chegar em casa, sempre passavam na lojinha de doces, onde podiam pegar o que quisessem enquanto a mãe de Marcus escolhia as tortas preferidas do marido para os jantares de negócios na mansão. Ela a tratava como a filha que nunca teve e, às vezes, pedia para ser chamada de mãe, no que era prontamente atendida, embora a menina estranhasse o pedido, pois mãe ela já tinha, mesmo que não desse tantos presentes, tantos doces, tanta atenção. Era a mãe dela e não sabia de ninguém que tivesse duas.

Só não entendia por que dormia em um quarto nos fundos da casa enquanto Marcus tinha um espaço dez vezes maior, com direito a armário de brinquedos, jogos e até computador. Mas isso não importava, já que passava a maior parte do tempo com ele, no quarto dele, com as coisas dele.

Nos fins de semana, viajava com a família para a casa de campo ou ia para o clube, onde jogava queimado, nadava na piscina, brincava pelo parque. Arlindo também fazia o papel de pai dela nas poucas vezes em que os compromissos de trabalho não impediam sua presença no lazer familiar. Ele dizia que Raquel tinha rosto de boneca. Chamava-a de bonequinha, "minha bonequinha".

A rotina escola-mansão-clube permaneceu inalterada até a adolescência, quando alguns detalhes começaram a mudar. Na escola, os amigos de Marcus a tratavam de maneira diferente. As professoras não gostavam dela. Os irmãos de Arlindo a ignoravam. Até Etelvina já não parecia tão satisfeita e nunca mais pedira para ser chamada de mãe. Na época já sabia que sua mãe era, de fato, a cozinheira da família, mas isso jamais fora motivo de vergonha ou dissimulação. Apenas de tristeza. Tristeza pelo fardo carregado por aquela mulher baixa, magra e ligeiramente corcunda, cujas rugas precoces a faziam parecer muito mais velha.

Raquel não passava de um feto de sete meses quando seu pai foi embora de casa, deixando a mãe sozinha em uma favela do subúrbio carioca. Era um homem rude, violento, chegado a uma pinga e a carreiras infinitas de cocaína, que também eram consumidas pela mulher durante a gravidez. Como o vício era a única afinidade entre eles, discutiam por qualquer assunto, quase sempre chegando à troca de socos e pontapés. Troca é modo de dizer, porque ela sempre apanhava como uma escrava fugitiva da senzala.

Na última briga, ele a atingiu na barriga, quase provocando um aborto, mas a criança acabou vingando, prematura, com o alerta para a possibilidade de problemas neurológicos incontornáveis. A mãe fez a promessa de nunca mais beber ou cheirar, e acabou encontrando Etelvina na saída de um culto da Igreja Anglicana, onde pedia esmolas segurando o bebê no colo. A mãe de Marcus lhe ofereceu emprego, casa e alimentação, além de ajuda na educação da filha. Só podia ser uma bênção.

Raquel repetia essa história mentalmente como forma de marcar a própria identidade, mas, até aquele momento, nunca tivera tratamento diferenciado na mansão. Entretanto, dia após dia, o ambiente começava a mudar. Só Marcus permanecia o mesmo. As brincadeiras é que haviam ligeiramente evoluído, ganhando o título de exploratórias. Juntos, exploravam os pequenos espaços de um mundo que subitamente crescera. Exploravam formas. Exploravam sons. Exploravam aromas. Exploravam um ao outro.

Marcus tinha os olhos fundos, olhos de claustro, olhos que a encaravam e nos quais ela se encarava. Nada precisava ser dito. A comunicação visual era suficiente, imediata. Às vezes com a ajuda do tato, reconhecendo o sentimento cujo senso comum chama de cego, merecedor do método braile de exploração. Pelos finos nasciam no queixo dele quando se beijaram pela primeira vez. Tinha sabor de fruta mordida, como na música do Cazuza. E um certo mistério por desvendar, cuja origem não era o beijo em si. Nem o olhar, nem a mão na cintura, nem os lábios roxos, nem a falta de ar, nem nada. Por isso era mistério.

Ambos tinham quatorze anos, mas ela já ostentava o corpo delineado, curvilíneo, que mexia com o apetite dos empregados da mansão, dos seguranças da rua, dos inspetores da escola.

O menino ainda era franzino, embora as mãos grandes e ásperas compensassem a ausência de músculos. Ele gostava de poesia, dançava bem e era gentil, diferentemente de todos os outros adolescentes do colégio, empolgados com as aulas de jiu-jitsu, com os tênis da moda, com o jogo do Flamengo, com a capa da Playboy e com os hormônios que deixavam espinhas na cara.

Marcus era diferente. Tinha o rosto liso, a pele crepuscular e a mão levemente suada pelo nervosismo, num sinal claro de não ter medo de demonstrar o próprio medo, o que, para Raquel, era a maior prova de coragem. Marcus falava baixo, sussurrava poemas, escrevia cartas de amor, comia de boca fechada, mandava crisântemos com margaridas, cedia a vez, ouvia com atenção e tinha um jeito de afagar os cabelos que a fazia entrar na sétima casa da Mandala, se é que tal casa existia. Marcus era doce. Marcus era puro. Marcus era lindo. Marcus era dela.

Marcus era perfeito.

De acordo com o julgamento sumário de Etelvina, perfeito demais para Raquel. A mãe do rapaz tinha planos grandiosos para ele. Não deixaria que fossem desvirtuados por um romance barato, muito menos pelo velho clichê do amor entre o patrão e a filha da empregada. Não importava que ela mesma tivesse uma origem humilde, pois era disso que queriam escapar. Enriquecer não era o suficiente, precisavam de projeção social, de uma porta para o *grand monde*.

Por diversas vezes discutira o assunto com Arlindo, que concordava plenamente com as intenções da mulher. O filho precisava de disciplina, de comando, da mão forte dos pais. Quando os primeiros sinais de aproximação romântica entre Marcus e Raquel começaram a aparecer, a decisão já estava tomada: a menina teria que partir. Mas Etelvina fez corpo mole, ficou com pena, adiou a expulsão. Achava que o garoto enjoaria, mudaria de rumo, encontraria outras gurias para extravasar a testosterona. Estava enganada e se arrependeu da letargia.

O flagrante aconteceu pouco depois do aniversário de dezessete anos de Marcus, quando eles comemoravam a aprovação no vestibular. O mesmo curso, a mesma universidade, a mesma sala. Era demais. Etelvina não se conteve: entrou no quarto aos berros, esmurrando a porta, sem pedir licença. Encontrou a menina quase nua, deitada na cama de Marcus, cuja cabeça estava pousada em seu ventre para ouvir o ruído compassado que emanava do útero, anunciando o que a cintura arredondada já não conseguia esconder.

Aquela história acabava ali! Era a promessa de Etelvina.

13. Ética

A aula de psicodiagnóstico começou com atraso, como sempre. O que não tinha a menor importância, já que ninguém aprendia nada mesmo e o assunto era tratado como piada na faculdade, uma espécie de vade-mécum esotérico da psicologia, cujo conteúdo pontificava a capacidade de diagnosticar os pacientes através de determinados testes. Um deles funcionava da seguinte maneira: o sujeito fazia um desenho de uma casa. Se não desenhasse o chão significava que estava fora da realidade, podendo ser esquizofrênico. Se não desenhasse janelas, estava preso em si mesmo, podendo ser depressivo. E assim por diante. Mais esotérico impossível. Os alunos o apelidavam de teste de Merlin. E o epíteto não era pejorativo, pois muitos deles eram admiradores do mago.

A falta de qualificação da professora ainda piorava as coisas. Como não entendia nada do tema, limitava-se a sentar no canto da sala e assistir aos seminários preparados pelos alunos. A cada semana um grupo apresentava um capítulo do livro para a turma de sessenta desinteressados. Entre eles, Virgínia, a única que criticava a metodologia da disciplina. *Se a matéria não interessa, que a tirem do currículo. Mas se está lá, tem que ter um professor competente e uma aula honesta, sem recorrer a esses seminários calhordas*, dizia, embora só se preocupasse com a chamada no final da classe.

Mas, naquela semana, nem a chamada parecia interessar. Ainda estava intrigada com a visita dos policiais à sua casa. Quem poderia tê-la denunciado? Pelo tráfico de drogas, tudo bem: estava preparada, sabia que poderia acontecer. Mas a história sobre o Bibiano não fazia sentido. Ela não tinha qualquer motivo para machucá-lo. Não era ciumenta a esse ponto, muito menos sádica. Além disso, ninguém sabia que eles tinham um caso, portanto não poderia ser suspeita de nada. Nos últimos dias, tentara falar com o amante de todas as formas, sem sucesso. Ele desligara o celular e não aparecera nem na faculdade, nem na academia, nem no consultório.

Nenhum aluno ou professor da universidade sabia o que havia acontecido. Não podiam nem imaginar que Bibiano fora esfaqueado. Ele inventara uma desculpa para ser substituído nas aulas. *A cicatriz deve ser muito evidente pra ele fazer isso*, pensou Virgínia, enquanto o grupo de psicodiagnóstico iniciava o seminário sobre o teste da arteterapia.

— Pra começar, devemos separar seis cartolinas brancas, uma caixa de lápis de cor e fita durex — disse a primeira expositora, uma aluna ruiva que sempre sentava na primeira fila.

No fundo da sala, as conversas paralelas formavam um zumbido irritante, uma névoa sonora que se confundia com a apresentação. A professora fingia não perceber, embora, aos poucos, o ruído tomasse conta do ambiente, tornando a exposição quase inaudível.

— Não sei o que fazer no cabelo. O Juarez fechou o salão dele em Ipanema. Fiquei órfã, querida — disse uma das meninas bronzeadas da turma, integrante do grupinho da Maria

Quitéria, como era conhecida a parte da praia em frente a um famoso hotel do bairro.

— Taca um *megahair* aí. Se você fizer um alisamento japonês não vai adiantar. Teu cabelo tá muito curto — respondeu outra das bronzeadas.

— E se eu deixar crescer?

— Vai demorar muito. Não tem jeito, teu caso é grave, coisa de vida ou morte. Olha só o estado do fio! Chega a dividir em três pontas! Tem que mudar essa cor também. Ninguém usa mais esse tom desbotado. Bota aquela tinta nova. Dá até pra escolher uma igualzinha à do aplique. Fica perfeito.

— Não dá pra fazer só uma chapinha?

— Claro que não! A chapa nem entra nesse teu arame farpado. Se liga!

— Mas essa parada irrita a pele.

— Vai no dermatologista, então. Aliás, vamo combinar: você tá precisando! Tem que dar um tratamento nessa cara. Compra uns creminhos, faz umas massagens. Ninguém merece essas manchas de sol.

— Mas...

Virgínia saiu da sala antes de ouvir a conclusão dos conselhos dermatológicos. Estava até interessada no assunto, mas não conseguia conter a angústia. Precisava agir, sair da inércia, tomar as rédeas do problema.

Subiu as escadas até o sexto andar e entrou na antessala da direção. Queria falar com Pastoriza.

* * *

O hospital psiquiátrico parecia um sítio abandonado. A área construída não chegava a dez por cento do terreno, que devia ter o tamanho de dois campos de futebol, embora não houvesse grama, apenas algumas amendoeiras cujas sombras aliviavam o ambiente árido, empoeirado. O vento quente contribuía para aumentar a sensação térmica, em torno dos trinta graus, quase a mesma temperatura do interior, que não tinha refrigeração. Alguns médicos preferiam manter as janelas fechadas, na vã tentativa de segurar a brisa da madrugada anterior, o que causava gargalhadas nos pacientes, os únicos com a lucidez necessária para perceber que a atitude era inútil.

Eram quatro alas, cada uma constituída por um sobrado centenário. Na primeira funcionavam a administração, os consultórios, o almoxarifado e a farmácia. Na segunda e terceira estavam os quartos dos pacientes. E, na última, além da cozinha e do refeitório, havia as salas de emergência equipadas com aparelhos de eletrochoque, camisas de força e outros utensílios necessários para intervenções mais ortodoxas. Parecia uma alucinação: o sujeito tomava a descarga elétrica enquanto sentia o cheirinho da comida. Se não fosse maluco, acabava ficando.

Rogério demorou três horas para chegar ao hospital, localizado numa estrada secundária entre Campos e Macaé, no norte fluminense. Sabia que o imóvel pertencia ao psiquiatra Rubem Talvane, o mesmo que havia preenchido a receita encontrada no carro de Marcus. Um homem rico, dono de uma rede de clínicas para recuperação de drogados, cuja fama entre os colegas não era das melhores.

Talvane respondia a diversos processos na justiça, alguns deles por suspeita de venda de laudos médicos para uso forense. Mesmo assim, não teve o diploma cassado pelo Conselho Regional de Medicina, que também não se interessou por sua longa ficha na polícia: desde brigas de bar até acusações de assédio sexual, passando por tráfico de animais silvestres e comercialização de receitas. Esta última, uma coincidência que não passaria despercebida por Rogério.

O delegado entrou na administração pela porta da frente, acompanhado de dois inspetores. Por trás do balcão de atendimento, era possível ver a sala do médico, que falava ao telefone num tom ríspido, mas contido, como se precisasse segurar a raiva. Ao perceber a presença de Rogério, pousou o fone no gancho lentamente, sem demonstrar qualquer reação emocional. Não esperou o anúncio da recepcionista: abriu a porta e convidou o visitante para entrar. Os inspetores ficaram do lado de fora.

— Delegado! O senhor por essas bandas?

— Não pareceu surpreso, Dr. Talvane.

— Mas estou, pode acreditar. Da última vez que nos encontramos, não foi em um momento agradável para mim. Mesmo assim, é um prazer recebê-lo.

— Da última vez, o senhor foi intimado a comparecer na delegacia — disse Rogério.

— É verdade. Mas espero que sua visita não seja, digamos, intimidatória.

— Vai depender das suas respostas — concluiu o delegado, depois de tirar a pistola do coldre e pousá-la sobre a mesa, junto com a receita encontrada no carro de Marcus.

Apesar do calor e da intimidação, nenhuma gota de suor escorreu pelo rosto do médico. Suas feições permaneceram inalteradas, como se fosse um monge tibetano de filme inglês, daqueles interpretados por atores com sotaque aristocrático.

Se estava com medo, era impossível saber. Rogério precisaria ser mais incisivo:

— Doutor, acho que não estamos nos entendendo.
— Por que não? — perguntou o médico, ainda tranquilo, enquanto observava a receita.

O delegado se levantou para fechar as cortinas da sala. Do lado de fora, enfermeiras e policiais trocaram olhares incrédulos. Alguns pacientes perceberam o constrangimento e também se inquietaram, espalhando o assunto pelas outras alas do hospital. Durante uma hora, não se ouviu qualquer som, nem mesmo das vozes de Talvane e Rogério. Parecia que a sala estava vazia, abandonada. Na recepção, o único ruído vinha do sinal de ocupado do telefone durante as tentativas de passar ligações, feitas pelas secretárias, que não tinham coragem de interromper a reunião. A cada dez minutos, um dos inspetores acendia um cigarro, ignorando o aviso de não fumar pendurado na parede. A cada cinco, um paciente conhecido como Clóvis passava pela administração para pedir um trago, mas não era atendido. Ocasionalmente, uma luz intensa emanava pela fresta da janela, aumentando a curiosidade. Todos permaneciam em silêncio, mas não conseguiam ouvir nada. Foi uma hora longa, angustiada, perene.

Quando Rogério abriu a porta da sala, os semblantes haviam mudado. O médico estava quase catatônico, com o olhar fixo no teto, a face ruborizada e a camisa molhada pelo suor. O delegado chamou os dois auxiliares.

— Dr. Talvane, repita aqui para os meus colegas o que acabou de me dizer sobre essa receita.
— O quê? — perguntou, com a voz trêmula, hesitante, enquanto as mãos tocavam um piano imaginário sobre a mesa.

— Anda logo que eu não tenho tempo! — gritou Rogério, fazendo o médico elevar os braços como se fosse levar um soco.

— Tá bom, tá bom! Eu vou repetir. Não precisa gritar.

Os policiais se aproximaram, as recepcionistas também. Outros médicos se posicionaram perto da sala para ouvir a confissão:

— Essa é uma das receitas anônimas que eu vendi para uma professora de psicologia da Universidade Anglicana.

* * *

Na sala da supervisão, que fora marcada excepcionalmente para a sexta-feira, Samantha terminava de contar a evolução de seus pacientes na clínica universitária. Dois casais haviam desistido do tratamento, mas ela não sabia os motivos. *Pareciam estar na boa, tá ligada?*, — perguntava retoricamente, enquanto Jurema fazia as anotações para orientar a aluna. Sobre aqueles que ainda estavam em atendimento, *a chapa já estava esfriando*, diferentemente das consultas anteriores, que haviam sido tensas. A única coisa inexplicável era a ausência de Karen, que sumira da faculdade.

— Onde está a sua amiga? — perguntou a supervisora.

— Sei não, prófe. Vazou já tem uma semana!

— Ela não te ligou, não falou nada?

— Nadinha. Tô bolada com isso.

Jurema estranhou a ignorância de Samantha. Na verdade, custava a acreditar que ela não tivesse qualquer notícia de Karen. Algo estava acontecendo, só não sabia o quê. Mas não adiantava insistir. Em vez disso, preferiu lembrar que os pacientes de

Marcus também tinham desaparecido. De nada adiantara redistribuí-los entre os demais alunos, muito menos mudar os horários de atendimento. O sequestro parecia ter abalado um número maior de pessoas do que haviam imaginado.

Para Raquel, no entanto, a explicação era mais simples:

— O Marcus é muito melhor terapeuta do que a gente. Nenhum de nós tem a paciência e o carisma dele. Claro que os pacientes iriam sumir.

O comentário deixou Nicole com a mesma expressão facial de suas antigas colegas da Faculdade de Letras diante dos best sellers. Uma cara de nojo, cujo significado ultrapassava o sentimento de repulsa, pois, na verdade, tinha um único e direto objetivo: demonstrar superioridade.

Nicole não apenas se achava superior como fazia questão de deixar claro que sua estirpe era diferenciada. Sempre citava trechos de clássicos da literatura, da filosofia e, principalmente, da sociologia política. Era filiada a um partido de esquerda e presidia uma ONG de ajuda humanitária, cujas ações em favelas cariocas viravam manchete nos principais jornais da cidade. Jornais que, invariavelmente, acabavam abertos na mesa da sala de supervisão, para que todos pudessem ver. Ao contrário daquelas *burguesinhas ignorantes* — como as chamava —, tinha bagagem intelectual e experiência de vida. Era independente, nobre, altiva. Não se deixaria abalar pela namoradinha de infância do homem que ela conquistara justamente porque era superior.

Mas não resistiu:

— Você não se enxerga, mesmo! Não é não, loura falsa? No outro dia, estava chorando pelos cantos, desesperada. Nem conseguia falar. Agora tá calma e cheia de amor pra dar. Elogiar o Marcus não diminui o sofrimento dele, nem o meu. Ninguém acredita nessa tua paixonite adolescente. Carreirista de merda! Volta pra cozinha que é o teu lugar!

Antes que Raquel pudesse responder, Jurema bateu na mesa e encerrou a supervisão.

* * *

A primeira reação não foi de surpresa, foi de ressaca, como se tivesse tomado um porre de uísque nacional. A dor de cabeça, bem na parte frontal da testa, deixava os olhos pesados, fundos, quase inertes. Pastoriza ficara aturdido com o telefonema de Rogério relatando que o pedido de resgate dos sequestradores partira de dentro da universidade. Não dava para saber com precisão o local de onde a internet fora acessada, mas era possível determinar a hora exata, além da configuração do computador: um *notebook* com memória RAM de no mínimo 1 giga, ligado à rede do campus, que era aberta e gratuita.

Novamente, pensou nas hipóteses levantadas pelo delegado. Quem na faculdade participaria de um crime hediondo? E por quê? A lista de suspeitos já seria gigantesca se considerasse apenas o número de alunos e professores que integraram as turmas de Marcus nos cinco anos de curso. Precisava restringir o foco, priorizar a investigação naqueles que eram mais próximos.

Começou pelos colegas de supervisão na clínica universitária. Entrou no sistema para verificar quais deles estavam atendendo na mesma hora em que a mensagem com o pedido de resgate fora enviada. Digitou a senha e pediu as informações. A tela ficou em branco, com um pequeno ícone na margem inferior indicando que estava em pesquisa. A lentidão o irritou, mas permitiu novas reflexões. E se fosse alguém de fora utilizando a rede da universidade? Não, o criminoso nunca volta ao lugar do crime, pensou. Por outro lado, se é alguém de dentro, tem que ter conexões com bandidos. Ninguém organiza um sequestro sozinho. Poderia ser um professor, em vez de um aluno? Talvez. Só era difícil imaginar quem teria motivos para isso. Não queria ser preconceituoso, mas um funcionário morador da favela parecia ter o perfil mais adequado.

No computador, um som intermitente anunciou o fim da pesquisa. O relatório da clínica indicava que, na hora do contato, Raquel estava na sala de espelhos atendendo o "caso do feijão derramado" e Nicole se encontrava no consultório quinze com o único casal que ainda permanecia sob seus cuidados. Karen e Samantha não tinham pacientes marcados para aquele horário, mas, de acordo com a agenda da clínica, deveriam estar na faculdade, de plantão.

Pastoriza ia pedir à secretária o telefone das duas plantonistas, mas foi interrompido por Virgínia, que acabara de chegar à antessala da direção.

— Professor, preciso muito falar com o senhor. É urgente.

O diretor não conhecia a aluna do quarto período. Ela usava uma calça jeans básica coberta por uma bata indiana cujo tecido deixava transparecer as marcas de biquíni. A maquiagem leve escondia as olheiras de ansiedade, além de realçar os cílios pequenos, sem definição. E o salto do sapato parecia empiná-la para trás, como se tivesse uma lordose. Entretanto, o que mais o impressionou foi o ímpeto da menina, que se antecipou à secretária e entrou na sala sem esperar pelo convite.

Antes de ser repreendida, Virgínia tratou logo de se acomodar na cadeira em frente à escrivaninha. Pastoriza esqueceu de pedir os telefones e voltou para o gabinete. Uma das regras básicas da psicoterapia determinava a incapacidade de se lutar contra impulsos impetuosos, um termo redundante muito utilizado pelos psicanalistas. No máximo, era possível interpretar o impulso e quantificar a impetuosidade, procurando entender em que nível ela contribuía para a neurose do paciente. Ao terapeuta cabia fazer as associações necessárias para o trabalho de interpretação.

— Não precisava nem dizer. Já vi que o assunto é urgente. Em que posso ajudá-la?

— Desculpe invadir sua sala dessa maneira, mas estou no limite da minha sanidade. Se não falasse com você, acho que iria explodir. Saí no meio da aula.

— Que aula?

— Uma sem importância, como a maioria delas.

— Você é a segunda aluna que fala mal do currículo essa semana.

— Então, você deveria perguntar a mais gente por aí.

— O curso é tão ruim assim?

— Na verdade, há bons professores, mas eles são a minoria. Quem entra aqui tem uma expectativa muito grande. Acha que vai sair da faculdade preparado pra qualquer coisa, qualquer emprego, qualquer paciente. Só que a realidade é outra. Já no segundo período a gente fica frustrada.

— Acho que essa frustração está ligada ao imaginário sobre a profissão. Para a maioria das pessoas, psicólogo e psicanalista são a mesma coisa. Ninguém sabe que uma profissão é regulamentada e a outra não. Muito menos que a psicologia tem dezenas de divisões. Você já ouviu alguém dizer que vai procurar um cognitivista?

— Não, nunca ouvi.

— Pois é. As pessoas procuram por atendimento psicológico. Ponto final. Elas não conhecem as especificidades da profissão. No máximo, já ouviram falar de Freud ou de Lacan. E, quase sempre, através de uma interpretação deturpada, ligada à questão sexual ou a termos já popularizados, como recalque e inconsciente. Ou, então, têm uma ideia romântica da análise, aquela dos filmes de Hollywood.

— É verdade. No cinema, eu tenho a impressão de que por trás do divã há sempre um feiticeiro com poderes especiais, capaz de ler a mente ou prever o futuro.

— Exatamente. É assim mesmo.

— Mas o que isso tem a ver com a frustração do aluno na faculdade?

— Tem tudo a ver. Quando você faz vestibular para psicologia, vem com a mesma noção romantizada. Não que pense em feitiçaria ou coisas do gênero, mas eu posso dizer que passa perto. Há uma pretensão de superioridade mental. O aluno tem a percepção de que o curso fornece uma capacidade quase mística de compreender a mente. Mas, quando começa a estudar, esse imaginário desaba. Aí vem a frustração.

— Pode ser. Quando comecei a fazer análise, achei que ia encontrar um homem de barba branca com um charuto na boca e respostas pra tudo. Mas só encontrei novas perguntas. Aliás, foi por isso que resolvi entrar na faculdade.

— E encontrou as respostas aqui?

— Claro que não.

— Nem vai encontrar. É assim que funciona. Se um dia você achar que encontrou, esse será seu último dia, será o fim. Enquanto estiver procurando ainda há solução.

— O quê?

— O melhor da festa é esperar por ela. Nunca ouviu isso? É uma citação de Proust: a meta está no próprio caminho, naquilo que você faz durante a caminhada. O que viveu, como viveu, para quem viveu. Isso é que importa.

Um ligeiro instante de silêncio tomou conta do ambiente. Em cima da mesa, havia uma cópia do fluxograma do curso de psicologia. Virgínia pensou em discutir a viabilidade de cada disciplina com o diretor, ementa por ementa. Sabia que seria uma atitude muito pretensiosa para uma aluna de graduação, mas tentava imaginá-la como uma espécie de defesa do consumidor e, sob esse ponto de vista, tinha todo o direito de argumentar. Entretanto, não estava ali para falar do currículo. Seus problemas eram muito mais graves.

— Desculpe, professor Pastoriza. Sei que o assunto é importante, mas não foi para discutir a qualidade do curso que o procurei.

— Então, qual é o seu problema?

A pergunta era direta, mas Virgínia não gostou do tom de voz do diretor. Ele parecia impaciente, irritado. Sua fisionomia mudara subitamente, sem qualquer explicação. Talvez fosse melhor desistir. Inventaria uma desculpa, fugiria, daria um jeito. Mas como sair daquela sala sem levantar desconfianças?

A impaciência aumentou.

— Estou esperando, menina.

Virgínia resolveu arriscar.

— Meu problema é com um professor da faculdade. Quer dizer... Hummmm! É mais que um problema. É... Hummmm! É...

— Que professor?

— Bibiano. Eu tenho um caso com o professor Bibiano. É isso, pronto, falei. Nós somos amantes, namorados, sei lá. Nós temos um caso!

Pastoriza ficou ainda mais irritado. Em vinte anos de magistério, presenciara todo tipo de situação envolvendo professores e alunos. Notas baixas, reprovações, faltas, aulas ruins, provas idiotas, injustiças, discussões e até lutas corporais. Mas nada, absolutamente nada, soava mais calhorda do que o patrulhamento das relações amorosas entre docentes e discentes. Uma moral anacrônica, decadente, cuja lógica maniqueísta determinava a interdição de qualquer relacionamento entre as partes que dividem o sagrado palco da educação.

Qualquer professor que se envolvesse com uma aluna seria condenado pelo tribunal da inquisição pedagógica, sem direito a apelação. E se fosse uma professora a pena era ainda maior, agravada pela miopia sexista. Os patrulheiros chamavam a proibição de ética profissional, uma prova de que a ignorância habitava as altas esferas da intelectualidade.

Se lessem Nietzsche, saberiam que a ética não é estática, evolui com o tempo e forma novos valores ao longo da história: "As épocas essenciais da vida são aquelas em que existe a coragem para rebatizar nosso lado mau de nosso lado bom."

Se lessem Foucault, saberiam que a verdade depende dos sistemas de pensamento em que ela está inserida. Sistemas que só existem a partir do poder que as legitima em regras. Regras que, por sua vez, criam o próprio poder, em um círculo vicioso que nos aprisiona na moral instituída.

Se lessem Sócrates, saberiam que os homens de caráter veem o mundo de maneira única, o que significa a possibilidade de enfrentar a moral dominante a partir de sentimentos próprios. Mesmo que isso signifique a condenação à morte, como foi o caso do filósofo.

Mas eles não leram. E, portanto, ignoram que a sala de aula não é mais o ambiente sacro do século passado e que as relações entre alunos e professores evoluíram de uma hierarquia definida para uma negociação entre pares. Os julgamentos éticos não estão mais inseridos apenas na moral dominante, que também mudou, mas seguem lógicas individuais avalizadas por novos costumes, novas condutas, novas ideias.

Era nisso que Pastoriza pensava sempre que o assunto vinha à tona. Quando alguém como Virgínia entrava em sua sala para denunciar um professor, sua reação tornava-se irascível, quase bestializada. Era capaz de prever a conversa pelo olhar do interlocutor. Não tinha tempo para aquela besteira. Não tinha tempo para os ignorantes. Nem mesmo para os jovens ignorantes, pois nesses o preconceito se instalava junto com a estupidez, sem possibilidade de redenção.

— Você vai me perdoar, menina, mas não tenho nada a ver com a vida pessoal dos professores.

— Não vim aqui para fazer fofoca, diretor. O problema é que o Bibiano não dá notícias há uma semana. Algo muito grave aconteceu e não sei a quem recorrer. Achei que você podia ajudar.

— Pelo que eu sei, o professor Bibiano pediu licença para ir a um congresso. Não há nada de errado com isso.

— Não é verdade. Ele desapareceu porque foi esfaqueado. Dois policiais estiveram na minha casa pra falar sobre o crime. O caso está registrado na delegacia. É só ir lá e conferir.

Pastoriza mudou o tom. A menina parecia realmente abalada, preocupada com o professor, ou melhor, com o amante. Claro que tudo aquilo poderia ser um grande teatro, o velho golpe da amante abandonada, mas sua intuição indicava o

contrário. Havia rugas na explicação de Virgínia e, numa garota de dezenove anos, as rugas não podiam ser inventadas.
— Como posso te ajudar?
— Me ouve. Depois você decide o que é melhor.
— Estou ouvindo. Pode falar.
Dessa vez, foi ela que mudou o tom. Ainda não estava certa se aquela era a melhor decisão, mas não podia voltar atrás. Precisava ser direta, forte, definitiva. Só não pretendia contar que a polícia suspeitava dela. Tinha que trazer o diretor para o seu lado. Sua única chance era a confiança na própria capacidade de convencimento.
Levantou a cabeça, franziu a testa e mergulhou os olhos em Pastoriza.
— Eu acho que o Bibiano foi esfaqueado pela mesma pessoa que sequestrou o Marcus.
— O quê?
— E sei quem planejou o sequestro.

14. Terapia

Ontem, recebi um desses e-mails de mulherzinha. Sou ligada na internet, mesmo. É minha melhor companhia, doutora. Na rede, posso ser quem eu quiser. A Angelina Jolie, a Gisele Bündchen, a Jessica Biel. Dá até pra ser a Mulher Maravilha, com cintinho vermelho e tudo. Na internet, a Olga não existe. Ninguém me conhece. Ninguém sabe meu peso, minha altura, a cor do meu cabelo. Não sabem se estou na TPM, se comi cebola crua, se quero matar a mãe do Carlinho. Não, não quero matar a tua mãe, Carlinho! É só força de expressão. Deixa de ser paranoico!

Posso falar do e-mail, agora? Fica calado um minuto, Carlinho! Isso é terapia de casal, tem que dar um espaço pra mim.

É o seguinte: o cara chama a mulher pra jantar. Não, não é real. Tô só contando o que tava no e-mail. Começa assim: com um convite pra jantar. É de manhã e o convite é pro final do dia, claro. A mulher aceita como se fosse a coisa mais natural do mundo, mas sabe que seu inferno astral acaba de chegar. Ela tem que estar preparada. Primeiro, entra numa dieta zero pra não parecer gorda no primeiro encontro. Fica a manhã inteira só bebendo água, mas quando está quase desmaiando come uma fatia de queijo e duas barras de chocolate. Acaba engordando o dobro.

Depois tem que fazer pé e mão. Não é frescura. Pode estar nevando pra você usar suas botas de cano alto. Não importa. Se o sujeito resolve ir a um restaurante japonês, já era. Aquela cutícula do tamanho de uma azeitona vai ficar do lado de fora. Ou você acha que a meia esconde essa unha horrível? Com o cabelo é a mesma coisa: hidratação, escova, retoque da raiz. Pronto, a tarde já foi embora. E ainda tem a depilação. Pois é! Vai que rola alguma coisa!? Então também tem que usar uma lingerie apertada na bunda, daquelas que incomodam mais do que pelo encravado, porque ninguém fica com tesão em calcinha cor da pele. E, se é assim, vale uma passada correndo no shopping pra comprar um vestido novo. Mas como o Zé Mané nunca comunica pra onde vai te levar, você não sabe o que escolher: fica que nem um zumbi vagando pelos corredores, louca, insana, desesperada. Sem falar na maquiagem, no banho com sais, na esfoliação com esponja de aço. A hora já chegou e você está em pânico. Mesmo assim, fica prontinha para o encontro. Não atrasa nem um minuto.

Só que, faltando trinta segundos, ele te liga pra cancelar. *Pintou um problema aqui no escritório, querida.* Dá vontade de cravar o salto na cabeça do infeliz!

É assim que eu me sinto, doutora. Faço tudo pela gente, mas o Carlinho sempre cancela nosso jantar. Não interessa que eu tenha separado cílio por cílio com um palito de dentes, que tenha caprichado no rímel, malhado glúteo, usado sabonete aromático, feito massagem. Que tenha me encolhido num vestido micro, sem respirar, só pra parecer mais sensual. Que não sinta mais os dedos do pé devido ao princípio de gangrena por causa do sapato de bico fino. Não importa. Pra ele, tudo é muito simples: basta colocar uma calça jeans, vestir a camisa polo e calçar um sapato qualquer. Pode cancelar o mundo que nada de grave vai acontecer. Não é isso, Carlinho?

Foi só um e-mail, doutora. Mas bateu fundo. Nem sei quem é o autor. Deve ser um desses textos anônimos que circulam pela internet. Mas pareceu escrito pra mim. Só pra mim.

Minha vida é um jantar cancelado.

15. Perversão

Quando Etelvina descobriu que Raquel estava grávida de Marcus, sua primeira reação, como de costume, foi histérica. Pensou em demitir a mãe da menina, expulsá-la da mansão e encher o filho de porrada. Mas a histeria tinha nuances racionais que formulavam soluções perfeitas para os dilemas mais complexos. No caso de Etelvina, essa racionalidade respondia pelo nome de Arlindo.

O pai de Marcus fez um acordo com a cozinheira da família. Ela ganharia uma quitinete em Copacabana, um emprego vitalício na construtora e a quitação de todas as mensalidades da faculdade da filha. Em troca, bastava assinar alguns documentos, sair da mansão e o principal: convencer a menina.

Para Raquel, não havia surpresa na atitude da mãe. Já esperava por isso. Também não havia mágoa ou qualquer outro afeto ruim. Para quem tinha apanhado tanto na vida — no sentido metafórico e literal —, ficava difícil enxergar a realidade por uma ótica diferente da que estava acostumada, a ótica do miserável. Aprendera a obedecer sem contestar, a olhar pra baixo, a andar na beira da calçada, a ficar de pé no ônibus, a usar o banheiro dos fundos, a ser invisível. E ainda tinha um sentimento de gratidão eterna para com Etelvina, por quem orava todas as noites pela caridade recebida. Mesmo que o patrão não lhe oferecesse nada, acataria as ordens da família.

O aborto foi realizado em uma clínica clandestina de Botafogo. O advogado de Arlindo cuidou de tudo pessoalmente, desde a internação até o pagamento. Raquel ainda era menor de idade e foi preciso pagar cinco vezes mais para que os médicos fizessem a cirurgia. Mas o renomado bacharel em Direito avisou: não admitiria erros, nem qualquer tipo de indiscrição que prejudicasse seu cliente. O procedimento durou pouco mais de uma hora, contando o tempo da anestesia. Não havia qualquer parente da menina na sala de espera. Muito menos do feto, que se juntou a outros tantos no lixo hospitalar daquele dia.

Na saída da clínica, Raquel se recusou a entrar no carro do advogado, que quase teve uma síncope quando ela dobrou a esquina a pé e desapareceu. A garota não tinha dinheiro para o táxi, nem podia caminhar muito. Então, sentou-se no banco de uma praça que ficava ao lado, onde permaneceu durante toda a tarde, pensando nos rumos que tomaria dali em diante. Sua atitude, calma e reflexiva, surpreendeu a si mesma. Não chorou, não surtou, não ruminou o próprio sofrimento diante dos transeuntes de classe média do bairro. Quando a noite caiu, já tinha planejado cada passo de sua vida para os cinco anos seguintes, que seriam dedicados à execução de um detalhado projeto de vingança, cujo ponto de partida era a construção de uma nova personalidade, dissociada da antiga, e baseada em um conjunto de normas e valores com o único propósito de garantir o sucesso do plano.

Até então, fora uma menina dócil, educada, com um sentido agudo de respeito às leis dos homens e aos homens que faziam as leis, além de submissa aos mandamentos expressos na Bíblia.

Mas de que lhe adiantara aquela conduta? Ninguém se interessara por seu drama, nenhuma lei a protegera, nenhum Deus a acompanhara. Pelas novas regras que acabara de criar, o único mandamento válido seria o da própria satisfação, do próprio prazer. Nada de proibições, nada de tabus. Viveria por si e para si, sem qualquer remorso ou sentimento de culpa, mesmo que precisasse passar por cima de todos. Essa nova personalidade seguiria apenas os desígnios de uma ética individual baseada na onipotência, no culto ao hedonismo e nos sabores da vingança. Enterraria a velha Raquel junto com o filho que não teve.

* * *

Os espelhos no teto cobriam todo o corredor de entrada. Uma recepcionista loira, vestida apenas com um corpete negro e uma calcinha de renda, distribuía camisinhas e pulseiras coloridas para os clientes: vermelha para os casais, violeta para os que queriam apenas olhar e verde para os que estavam dispostos a tudo.

Jurema e Bibiano colocaram as pulseiras verdes e seguiram para uma das três boates do clube, onde foram recebidos pelo dono, que comandava a festa de aniversário da esposa. Ao lado da tradicional torta coberta por vinte e quatro velinhas e da mesa de frios decorada com motivos florais, o marido zeloso explicava as regras da brincadeira de parabéns para um grupo de marmanjos que se espremia ao seu redor.

Após desabotoar o vestido da mulher e deixá-la completamente nua no meio do salão, ele a cobriu com calda de sorvete e pediu aos convidados que a limpassem com a língua. A trilha sonora do evento foi abafada pelos urros neandertais dos participantes. Em poucos segundos, o chocolate se dissolveu nas papilas gustativas dos amigos do anfitrião, cujas mulheres assistiam ao ritual embevecidas pelas próprias risadas, intercaladas por carícias eróticas divididas entre elas e observadas por outros homens, que estavam desacompanhados.

Ao final da brincadeira, apenas o marido pôde ouvir o agradecimento úmido, sussurrado no ouvido.

— Obrigada, meu amor. Você é perfeito.

Um casal fantasiado se aproximou de Bibiano e Jurema. Ele usava um uniforme de bombeiro, ela de enfermeira. Aparentavam uns vinte e poucos anos, falavam baixo e eram *habitués* do local. Costumavam participar das surubas de domingo, quando o ingresso no clube só era permitido para os conhecidos da anfitriã, mas preferiam a tradicional troca de casais porque, como gostavam de dizer, eram conservadores.

Jurema sentiu a mão do bombeiro deslizar pelas costas, internamente, de cima pra baixo, até atingir o elástico do fio dental que usava por baixo do vestido de seda. Os dedos se desvencilharam do minúsculo pedaço de pano e iniciaram movimentos específicos na massagem pela bunda. O polegar e o mindinho fincaram base na parte inferior, marcando as dobras alongadas que separavam o músculo das pernas. O indicador afastou o glúteo direito e pressionou a carne vigorosamente, deixando um hematoma de alguns centímetros de diâmetro. O anular fez o movimento oposto, completando a abertura e abrindo caminho para o dedo médio, cujas rotações contínuas facilitaram a penetração até a segunda falange.

O olhar fixo de Bibiano multiplicou o prazer de Jurema, cujo rosto distorcido parecia receber alguma entidade satânica ou coisa do gênero. A enfermeira acompanhou o ritual com beijos no pescoço do marido, que, terminada a massagem, ofereceu-lhe a mão como prêmio. Lentamente, ela contornou cada um dos dedos com a língua, deixando o médio para o final, quando sugou com força o sabor impregnado na unha.

— Gostosa! — disse para Jurema, ainda extasiada.

O bombeiro propôs que os quatro fossem para um dos quartos privados do clube, que de privados não tinham nada, pois as portas ficavam sempre abertas para que todos pudessem espiar. Bibiano se entusiasmou com a mulher vestida de branco, mas recusou o convite. Antes de continuar, precisava esclarecer algumas coisas com Jurema.

Subiram para o bar temático, que ficava no segundo andar. Um grupo de oito mulheres, todas com mais de noventa quilos, bebia drinques coloridos ao lado do balcão. Eram chamadas de Tropa de Elite pelos funcionários. Chegavam sempre separadas, participavam de todas as brincadeiras, mas, invariavelmente, acabavam juntas, em uma das suítes fechadas, onde recebiam a visita de um casal democraticamente escolhido pela maioria. Naquela noite, Bibiano e Jurema pareciam estar com ampla vantagem eleitoral.

— O cara é gostoso. Tô curiosa pra saber o que tem por trás do curativo no rosto — disse uma das mulheres da Tropa.

— Vai ver nem é um machucado. Pode ser uma cicatriz antiga ou uma tatuagem — comentou a amiga.

— Eu tô de olho é na mulher. Ela tem um ar de megera, daquelas bem cruéis — disse uma terceira.

O casal percebeu os olhares do grupo, mas não se empolgou com o convite silencioso. No cômodo ao lado, havia um ambiente iluminado pelos reflexos de uma bola de espelhos, cujos pequenos quadrados formavam uma cortina giratória ao longo dos sofás de couro e do carpete desbotado. Na aparelhagem de som, a voz rouca de uma cantora americana de jazz parecia não agradar muito, já que havia apenas dois casais em uma conversa descontraída com o disc jockey, um senhor de cabelos brancos e cavanhaque com uma faixa de samurai na testa.

Bibiano puxou a mulher para um canto vazio, na diagonal oposta à cabine do DJ.

— Você não acha que a gente corre o risco de encontrar um aluno aqui? Ou algum professor da faculdade?

— Claro que não. Eles nem sabem que isso existe — respondeu Jurema.

— Não sei não, viu? A gente tá casado há dez anos. Sempre fiz tudo que você quis. Todos os teus desejos, todos os teus caprichos. Mas acho que a coisa tá passando dos limites. É a terceira vez que a gente vem aqui e eu sempre acho que alguém tá espiando.

— Ora, o objetivo é esse, querido. As pessoas vêm aqui pra espiar.

— Mas a gente faz muito mais do que isso.

— Porque somos ousados, gostamos do risco. Não dá pra ficar só olhando, não é mesmo?

— Eu sei, mas a situação é diferente agora.

— Por quê?

— Você sabe, Jurema. Essa minha cicatriz chama a atenção. As tuas fantasias estão exageradas. Aquela história da faca passou dos limites. Você é louca: me cortou de verdade, porra!

— Que é isso, querido? Nem doeu tanto assim. Você bem que gostou quando eu cheguei com aquele lenço árabe no teu consultório. E o corte foi superficial. Você só levou dois pontinhos nessa cara linda.

— Puta que o pariu! Eu levei dez pontos, Jurema. Doeu pra cacete. E você ainda me obrigou a acusar a coitada da Virgínia na delegacia. Estou arrependido. Não devíamos ter feito isso.
— Você é que não devia fazer falsas promessas pra menina. Agora aguenta as consequências. Vou acabar com a vida daquela fedelha. Ninguém vai me impedir.
— Mas...
— Cala a boca! Nunca liguei pras tuas cocotinhas. Algumas, a gente até levou pra casa. Gosto delas tanto quanto você, mas não admito desrespeito. Não admito!
— Desrespeito?
— Qual é, Bibiano? A garota queria te tirar de mim. E você ainda prometeu que ia se separar. Os dois me desrespeitaram. Mas a culpa pelo que tá acontecendo é tua. Foi você que assinou a sentença dela.

Jurema e o marido ainda ficaram um bom tempo remoendo o assunto, sem usufruir dos prazeres que tinham vindo buscar no clube. Imersos na discussão, não perceberam que a música mudara e o salão começara a encher. Parte dos convidados da aniversariante se juntou à Tropa de Elite e a outros grupos para uma nova brincadeira, que estava prestes a começar. Ao som de *Born to Be Wild*, o DJ grisalho desligou a iluminação do globo giratório e anunciou a única regra do evento:

— Chegou a hora do apagão! Quem não quiser participar encosta na parede.

Bibiano e Jurema interromperam a conversa e se juntaram ao bolo humano no centro da pista.

* * *

Na Divisão Antissequestro, o delegado Rogério analisava as poucas pistas sobre o caso. Tinha as placas dos carros usados pelos bandidos, mas os veículos não haviam sido encontrados. Tinha as digitais na lataria do BMW de Marcus, mas elas não batiam com nenhum registro dos arquivos. Tinha o pedido de resgate por e-mail, mas sabia apenas que ele partira de dentro da Universidade Anglicana. Só a investigação sobre a receita avançara um pouco. O problema é que ela envolvia um amigo de infância, a quem mandara chamar com urgência na delegacia.

A situação de Pastoriza ficara ainda mais complicada após o médico ter confessado que a receita fora comprada por uma professora da faculdade que ele dirigia. Rogério sabia que um indício era insuficiente para qualquer conclusão, mas dois indícios já constituíam uma coincidência exagerada, quase uma evidência. Não queria desconfiar do amigo, mas estranhara a maneira como ele defendera os professores e alunos da universidade, recusando-se a acreditar que alguém de dentro pudesse estar envolvido com o caso. Por que fizera isso? Manteria essa opinião depois de saber que o contato dos sequestradores partira do campus?

Não podia continuar com a investigação sem esclarecer as dúvidas pessoalmente. Gostava de olhar nos olhos, ficar frente a frente, perceber os sinais inconscientes de seus interlocutores. Considerava-se mais psicólogo do que policial e, mesmo na presença de um profissional da área, não se intimidava. Não precisava conhecer a teoria nem frequentar salas de aula. Sua escola era o cotidiano das ruas cariocas, cuja neurose se mostrava muito mais incisiva do que em qualquer consultório psicanalítico.

Para Rogério, a psique humana podia ser resumida nas respostas das testemunhas e réus dos inquéritos que presidia. Seu método era infalível. Primeiro, descobria os pontos fracos dos depoentes: um tique nervoso, uma fobia, uma obsessão, uma mentira do passado. Em seguida, explorava o tal ponto a partir de perguntas constrangedoras, que os deixavam na defensiva, intimidados. Por último, bancava o dócil, o compreensivo, como se estivesse do lado deles, tentando ajudá-los. Era a velha tática do tira mau e do tira bom, acrescida de requintes dramáticos e usada por um único policial, o que era muito mais eficiente.

Invariavelmente, acabavam confessando. Quase sempre, com a certeza de que o delegado os libertaria. Afinal, uma figura tão sensível aos problemas humanos não poderia manter ninguém atrás das grades. Um engano ingênuo, que deixava o delegado ainda mais orgulhoso de seus métodos. Porém, se nada disso funcionasse, Rogério tinha um plano B, um pouco mais radical e ligeiramente mais violento, cuja aplicação dependia das circunstâncias do crime e de seu estado de humor. Esperava não ter que aplicá-lo no amigo.

A secretária não se surpreendeu com a chegada de Pastoriza, que insistia em chamar o delegado pelo apelido do colégio.

— Vim falar com o Lobão.

— Claro, professor. O delegado está esperando pelo senhor. Pode entrar.

O abraço caloroso da última visita não se repetiu. Rogério puxou duas cadeiras, sentou-se em uma delas e apontou a outra para o depoente, sem sequer cumprimentá-lo, o que tornou o clima estranhamente pesado para ambos. Estavam acostumados ao convívio familiar, ao papo descontraído, à intimidade juvenil de uma amizade de três décadas.

Não chamou o escrivão nem se posicionou para tomar notas. Pretendia apenas observar as reações diante das perguntas.

Na mesinha de centro estava a receita cujo nome escrito a lápis tanto os intrigava.

— Então, meu camarada: vamos começar por aqui. Por que o teu nome está nesse papel?

— Não entendi, Lobão.

— Como não entendeu? Você já leu isso antes. Está escrito aí, com todas as letras: Antonio Pastoriza. Tá meio apagado, mas não há dúvida. É o teu nome.

— Eu sei que é o meu nome. Você já me mostrou essa receita. Não entendi o motivo da pergunta.

— Imaginei que alguém com sua experiência em psicologia já tivesse formulado um milhão de hipóteses pra isso. Vai dizer que não pensou no assunto nos últimos dias?

— Claro que pensei, mas isso não tem nada a ver com psicologia. Como é que vou saber por que meu nome está aí? Qual é, Lobão? Tá me estranhando?

— Estou apenas fazendo o meu trabalho.

— Trabalho é o cacete! A gente se conhece há trinta anos. Se tá com algum problema comigo, fala logo. Esse papinho de cerca-lourenço não funciona.

O que irritava Pastoriza não era a desconfiança do amigo, nem a aparente frieza do encontro. Irritante mesmo era a crença naquelas estratégias infantis (no sentido mais literal do termo), utilizadas desde os tempos do colégio, durante as brincadeiras de polícia e ladrão no recreio. Mas, assim como na infância, a irritação não duraria muito, destruída pelo surrealismo da conversa, muito mais próxima de uma comédia absurda do que de um romance de Conan Doyle.

— Cerca-lourenço? Hahaha! Você tá velho mesmo, meu camarada. Não ouço essa expressão há uns vinte anos. De onde

você desenterrou esse negócio? — perguntou Rogério, inflando as bochechas ruborizadas pelo riso.
— Tá se achando um garotão? Olha pra essa tua cara gorda. Você tá mais pra sapo do que pra lobo. No máximo, chega a vovozinha. Vai ficar sacaneando o meu vocabulário?
O circo foi desmontado. *Mas os palhaços continuavam no picadeiro*, pensou o delegado, rindo da própria inaptidão para o espetáculo. Em alguns momentos, o sucesso da profissão dependia de uma intrínseca capacidade de não se levar muito a sério, de admitir os limites, de perceber a impotência diante de determinadas situações. Na polícia, o infeliz que se considerasse um Sherlock Holmes não passaria do primeiro plantão. Bastava olhar as estatísticas: de cada dez inquéritos, nove ficavam sem solução. E, quando achavam um culpado, a sorte costumava ser o melhor método investigativo. Estavam muito mais para Inspetor Clouseau do que Poirot.
— Não dá pra falar sério contigo, Antonio.
— Mas o caso é sério, Lobão. Só fico puto quando você desconfia de mim. Mesmo que seja de sacanagem.
— Não foi sacanagem. A verdade é que não tenho alternativa. Preciso te indiciar. Teu nome está na receita. E, pra piorar, ainda tem o envolvimento de uma professora da Universidade Anglicana.
— Que professora?
— O nome dela é Jurema. Você conhece?
— Claro. O que ela tem a ver com o caso?
— O médico confessou que ela comprou a receita que encontramos no carro do menino sequestrado.
— Como é que ele lembra? Você me disse que o sujeito vende receitas pra todo mundo.

— Pelo tipo de medicamento e pelo número do talão. Ele guarda um registro dos clientes.
— Que motivos a Jurema teria pra comprar a receita?
— Isso é você que pode me dizer. Tá na cara que ela ficou tentando imitar a letra do médico para botar o teu nome no papel. Por isso, está escrito a lápis. Mas os motivos pra te incriminar eu não sei. Quer dizer, não sei nem se ela quis te incriminar. Pode ser tua cúmplice — disse Rogério, sem saber se estava simulando desconfiança ou se estava realmente desconfiado.
— Você quer que eu te mande à merda agora ou depois?
— Depois. Deixa pra ficar nervoso depois. Agora me fala dessa professora.
— Jurema é a supervisora do grupo do Marcus na clínica universitária. Eu a conheço superficialmente, mas hoje tive uma conversa muito estranha sobre o marido dela com uma aluna lá da faculdade.
— Que conversa?
— Uma menina do quarto período, a Virgínia, disse que é amante do marido da Jurema.
— Quem é o cara?
— O nome dele é Bibiano, um professor de terapias comportamentais. O cara tirou uma licença para participar de um congresso, mas a menina me disse que ele foi esfaqueado no rosto e precisou sumir pra não dar bandeira.
— Como a garota sabe disso?
— O pessoal da delegacia da Gávea foi até a casa dela. A garota não me contou detalhes, mas, se isso é verdade, a denúncia só pode ter partido do próprio Bibiano. Só ele poderia dizer quem deu a facada, porque só existe inquérito se a vítima aparecer, se houver prova material.

— Mas isso não faz sentido, Antonio. Se o cara sumiu pra não mostrar a cicatriz, por que daria queixa contra a amante? O objetivo não era evitar escândalo?
— É estranho mesmo. Mas ainda tem mais.
— Fala.
— A garota disse que quem esfaqueou o professor foi uma outra aluna, por coincidência do mesmo grupo de Marcus na clínica universitária.
— Que aluna?
— Calma que tem mais. Ela também disse que essa mesma aluna planejou o sequestro do Marcus.
— Qual é, Antonio? Por que demorou pra me contar isso? Fala logo o nome da aluna. E vamos chamar essa Virgínia pra depor.

Pastoriza não acreditava em narrativas lineares, com causa e consequência; direção e sentido; princípio, meio e fim. Embora as histórias de vida sempre fossem simples e previsíveis, a realidade por trás delas era muito mais complexa. Não havia o óbvio ululante, o rastro claro, a evidência. Mas o relato de Virgínia preenchia todos esses requisitos, tinha uma lógica quase inquestionável, um cheiro de verdade. Por isso, devia ser mentira.

— Acho que precisamos ser mais cautelosos, Lobão.
— Tá maluco, Antonio? As peças se encaixam. O pedido de resgate partiu da faculdade. Faz todo o sentido a participação de alguém de dentro. É muita coincidência a garota apontar uma pessoa tão próxima da vítima.
— Pois é. Eu já investiguei isso. Das quatro alunas que fazem supervisão com o Marcus, duas estavam atendendo pacientes na clínica no momento em que o e-mail foi enviado. E a rede de acesso à internet não pega lá dentro. Mesmo que elas conse-

guissem atender e usar o computador ao mesmo tempo, seria impossível enviar uma mensagem.

— E as outras duas?

— Estavam de plantão pelo campus.

— Me fala os nomes, Antonio. Os nomes.

— Uma das que estavam atendendo é a Nicole, namorada do Marcus. Eu a conheço. É uma menina bonita, inteligente, um pouco mais velha que as outras. O único defeito é que não gosta dos meus romances.

— Isso é uma qualidade, meu amigo — ironizou o delegado.

— Na maioria das vezes, eu diria que sim. Mas há um ar de revolta que não combina com ela, com os modos dela, com o discurso articulado que ela apresenta.

— A garota é rica?

— Não, eu acho que não. Ela foi secretária do pai de Marcus. Tem boa relação com a família, bom nível intelectual etc. Não parece suspeita.

— Pois, pra mim, não parecer suspeita já é motivo pra suspeitar.

— Aí é demais, Lobão. Que motivos ela teria?

— Sei lá. Pode ser maluca ou coisa parecida.

— De maluco quem entende sou eu que trabalho na psicologia.

— E eu trabalho na polícia. Quer comparar?

— Não, não vou comparar. Mas a outra aluna que estava atendendo é a Raquel, que tem uma história ainda mais maluca.

Pastoriza não gostava de banalizar aqueles termos. Loucura, maluquice e doideira eram palavras que rotulavam os pacientes e vulgarizavam a profissão. Mesmo assim, continuou.

— No dia em que fui à sala de supervisão pra falar do sequestro, a Raquel teve uma crise histérica e gritou o nome do Marcus, como se já soubesse do crime. Pouco depois, a Jurema me procurou pra contar os motivos da menina.
— Que motivos? A garota é vidente? Se for, traz ela aqui que poupa o meu trabalho.
— Tô falando sério, Lobão! Na véspera do sequestro, a Raquel recebeu um e-mail com uma foto do Marcus transando com uma paciente. O e-mail também dizia que eu receberia essa foto. Por isso, ela ficou desesperada.
— Foi ela que te contou essa história? Você viu a foto?
— Vi. Mas quem me contou a história foi a Jurema.
— Já disse que não dá pra confiar nessa Jurema. É melhor falar direto com a garota. E me dá essa foto que eu vou investigar a paciente do Marcus. O crime pode até ser passional, Antonio.
— Não acredito nisso, Lobão. Lembra que eu recebi um e-mail do Marcus, no dia do sequestro, dizendo que ele tinha descoberto um grande esquema na faculdade?
— Lembro.
— Eu me enganei quando disse que o assunto não tinha nada a ver com o crime. Talvez ele tenha descoberto alguma coisa ligada à utilização da sala de espelhos, onde os atendimentos podem ser observados por um vidro. O garoto deve ter desconfiado que alguém tirou fotos dele com a paciente e começou a investigar. Quem fotografou o Marcus provavelmente já vinha fazendo isso antes com outros alunos e professores.
— E daí?
— Daí que pode haver um grande esquema de extorsão na faculdade, o tal grande esquema que o Marcus queria denunciar. Alguém pode ter filmado e fotografado uma série de sacanagens

para fazer chantagem. Acho que o Marcus descobriu tudo, conseguiu provas e, por isso, foi sequestrado.

— Nesses casos, eles não sequestram. Eles matam o sujeito.

— Se o sujeito for um ferrado, pode ser. Mas se for o filho de um milionário, por que matar a galinha dos ovos de ouro? Sequestro também é extorsão. Quem organiza um crime organiza o outro. E nada garante que o criminoso devolva o Marcus. Aí, ele pode lucrar duplamente: ganha uma grana alta e ainda faz a queima de arquivo.

— Mas no e-mail está escrito que o resgate não será em dinheiro.

— Na verdade, está escrito que não será pago apenas em dinheiro. Apenas. Isso só pode ser pra disfarçar. Todo mundo quer dinheiro.

— Pra quem não acreditava no envolvimento de pessoas da faculdade, você tá muito criativo, Antonio! Organizar um sequestro não é tão fácil assim! E esse, ao contrário do que eu imaginava, foi bem planejado. Os caras que levaram o Marcus eram menores de idade. Não encontrei registro de nenhuma das digitais deixadas no carro — disse o delegado.

— Isso me traz de volta ao raciocínio sobre as colegas de supervisão do garoto.

— Por quê?

— Só a Nicole e a Raquel estavam atendendo pacientes quando o e-mail do sequestrador foi enviado. As outras duas alunas do grupo, que fazem trabalhos comunitários com menores na Rocinha, estavam no campus, mas fora da clínica. Uma se chama Samantha e a outra...

— Você desconfia delas? — perguntou, antes de ouvir o segundo nome.

— Eu, não. Quer dizer: mais ou menos. Quem desconfia mesmo é a Virgínia, a tal garota do quarto período que é amante do professor esfaqueado. Na verdade, ela não desconfia, ela acusa mesmo.

— Quem ela acusa? Qual das duas? — perguntou Rogério, enquanto ligava para a delegacia da Gávea.

16. Aversão

As mudanças de personalidade começaram já no primeiro período de faculdade. Raquel mudou o visual, mudou as atitudes e, aproveitando o generoso salário da mãe na construtora, mudou também o guarda-roupa. Em sala de aula, fazia o tipo gostosona metida. Abusava dos decotes e vestia saias microscópicas para seduzir professores, no que, a bem da verdade, tinha a concorrência de várias colegas, a quem ignorava sem qualquer cerimônia, fazendo uma coleção de inimigas. Estava só no mundo, investida no projeto pessoal de vingança. Não precisava de ninguém, não se importava com ninguém.

A única pessoa de quem se aproximou foi Jurema, que via na menina um espelho, uma cópia de si mesma trinta anos antes. Raquel percebeu o interesse e passou a usar a professora para se manter na universidade, já que as diversas atitudes antissociais quase causaram sua expulsão. Colava nas provas, faltava às aulas, perdia prazos, plagiava trabalhos, arrumava brigas, discutia com as outras professoras. Em poucos meses de curso, já tinha um número considerável de ocorrências assinaladas no histórico. Mesmo assim, graças à intervenção da supervisora, conseguiria chegar ao último período com notas até razoáveis, considerando a pouca dedicação aos estudos.

No começo, o que mais a atormentava era a presença de Marcus. Durante dois semestres letivos, fez cinco disciplinas na mesma turma que ele. Não se falavam, não se olhavam, chegavam ao extremo de não sentarem a menos de três fileiras de distância. Ela procurava manter a altivez, demonstrar superioridade, mas o preço da máscara eram os constantes desentendimentos com os demais alunos, numa espécie de transferência da raiva. Ele, por sua vez, não conseguia dissimular o constrangimento. O remorso era patente, indisfarçável, parecia escrito na face rosada do menino. Carregava a culpa indissolúvel pelo aborto da ex-namorada.

Aos poucos, os colegas de turma foram percebendo a aversão entre eles e descobriram que formavam um daqueles casais cujo término fora mal resolvido. Não chegaram a identificar o motivo do rompimento, mas sabiam que era grave. Como Raquel tinha péssima fama na faculdade, intuíram que a culpa só poderia ser dela e passaram a instigá-la com frequência. Inventavam histórias, mandavam bilhetinhos, colocavam apelidos para humilhá-la. Nas rodas de sueca, o jogo mais popular entre os estudantes, quem contasse a melhor piada sobre a garota saía com um ponto de vantagem. Ela era o assunto preferido, a chacota principal, o ponto de convergência para extravasar o ódio coletivo.

Apenas Marcus era convidado para as festas da psicologia, onde as ninfetas da Zona Sul se revezavam na nobre tarefa de dar em cima do garoto, que, involuntariamente, tornar-se-ia o garanhão da faculdade. A cada semana, Raquel tomava conhecimento de uma nova garota que entrara para a lista de conquistas amorosas dele, pois todas faziam questão de desfilar de mãos dadas pela praça de alimentação. Ela fingia que não ligava, mantinha a pose, mas acabava se delatando nas reações histéricas em sala de aula.

Era impossível não lembrar das vezes em que eles é que andavam de mãos dadas pela cidade. Em uma delas, durante um passeio pela orla de Ipanema, ele a pedira em casamento pela primeira vez. O dia estava feio, nublado, avesso a qualquer tipo de romantismo. Mas o garoto primava pela criatividade, alimentada pela paixão juvenil e por um senso de oportunidade inigualável. Raquel nem imaginava que estavam comemorando duzentos dias de namoro. Para ela, só havia comemorações em datas redondas: um mês, um ano, quem sabe uma década. Contar os dias era impossível.

O adolescente apaixonado pensava de outra forma. Não enxergava pieguice em nenhuma manifestação amorosa. Para ser completo, o amor precisava ser ridículo, precisava de extravagâncias e, acima de tudo, precisava de testemunhas. No meio da caminhada pelo calçadão, ele a convidou para almoçar. Um convite estranho para o horário: onze e meia da manhã. Mas ela não recusou, nem mesmo quando recebeu a pequena faixa de pano e o pedido para que vendasse os olhos.

— O que é isso, Marcus?

— Confia em mim, meu amor.

Andaram por mais alguns metros até uma pequena escada que levava à praia. A areia penetrou nas sandálias, deixando-a ainda mais intrigada. *Vamos almoçar à beira-mar? Calma, estamos chegando.* Não chovia, mas um vento frio entrava pela lateral da blusa, arrepiando a pele já umedecida pela ansiedade. Os passos lentos no solo fofo tornaram o trajeto um pouco mais demorado que o previsto. Vendada, Raquel aproveitava os outros sentidos para se localizar. Ouvia poucas vozes, o que era condizente com um dia nublado na praia. O cheiro de maresia ficava mais forte a cada passo, embora se misturasse com um aroma incomum, de difícil identificação. Um gosto doce tomava conta do palato, talvez influenciado pelo tal aroma desconhecido. Quando sentiu a água bater nos tornozelos, Marcus pediu que parasse de andar. Apesar do vento, o mar estava calmo, como se fosse um dia de verão. O namorado a pegou pelos ombros, posicionou-a em direção ao horizonte e só depois permitiu que retirasse a venda, o que ela fez com toda a calma do mundo, saboreando o momento. Os olhos demoraram alguns segundos para se acostumar com a luz, tornando a cena ainda mais intensa, já que a imagem apareceu paulatinamente, como um espetáculo que se descortina para o espectador.

Duzentos barcos de papel machê navegavam em círculos. Nas pequenas velas que os impulsionavam era possível ver o nome dela escrito com letras góticas, além de um coração estilizado que o envolvia. Atrás de Raquel, os poucos amigos do casal, todos adolescentes, aplaudiam o gesto romântico, do qual haviam sido cúmplices e artífices. Dos dedos de Marcus, surgiu uma linha de *nylon* presa a um dos barquinhos, que estava próximo da areia. Ele puxou o fio lentamente, em movimentos sincronizados, para não derrubar a embarcação. Na ponta do mastro, havia uma aliança de ouro cuidadosamente amarrada, cuja gravação no interior trazia o nome de ambos e um sinal místico que só eles compreendiam. Não foi preciso dizer mais nada, apenas ouvir a resposta.

— Eu aceito.

Os amigos ergueram os copos em torno da gigantesca toalha estendida na areia, cujos isopores com cerveja dividiam espaço com doces e salgados comprados numa padaria do bairro. As lágrimas eram coletivas.

Aquela imagem ainda estava presente em sua memória. Nem as sacanagens das colegas de faculdade nem o projeto pessoal de vingança conseguiriam apagá-la. Na verdade, pouco se importava com as notícias sobre as conquistas de Marcus. Tinha certeza de que elas não representavam nada para o ex-namorado, nada além de uma distração para suas inseguranças e frustrações.

O assunto só passou a incomodá-la a partir do segundo ano de faculdade, quando ele começou a namorar Nicole. Não conseguia entender como os pais de Marcus haviam permitido que uma simples secretária se aproximasse do pimpolho querido. Se o desejo deles era casar o filho com alguém da alta sociedade para conseguir o prestígio que os novos-ricos não possuem, por que a tratavam tão bem? Uma reles secretária! Reles e pedante, aliás. Como todo mundo sabia.

As únicas lembranças que tinha de Nicole antes da faculdade remetiam aos meses anteriores ao aborto, quando a secretária passou a trabalhar diretamente na mansão de Arlindo, abandonando o escritório da construtora. Não sabia os motivos, nem estava muito interessada neles. Só ficava intrigada com as inúmeras pastas acinzentadas que ela carregava para todos os lados e cujo conteúdo parecia muito valioso, pois sempre as guardava no cofre da biblioteca antes de sair.

O patrão não cansava de elogiar sua eficiência. E os demais empregados ficavam embevecidos com o tipo físico da garota. Ela era alta, esguia, com um corpo bem torneado. Tinha os olhos verdes, rasgados, e, na época, devia estar com uns vinte e dois anos de idade. Achava que Etelvina não deveria permitir que o marido tivesse uma secretária tão bonita. Só não imaginava que o alvo acabaria sendo o filho, que era seis anos mais novo, praticamente um bebê.

Não sabia o que pensar ou como agir. Tornou-se ainda mais agressiva, ainda mais odiada pelas garotas da psicologia, que pareciam ter um pacto contra ela, cujas reações extemporâneas só alimentavam esse ódio. Irritava-se com qualquer comentário, respondia às provocações, mergulhava em crises maníacas de insubordinação sem motivo. Aquilo atrapalhava seu projeto de vingança, que deveria ser contra toda a família e não apenas contra Marcus ou contra a namorada dele.

Tornou-se uma obsessiva pelo casal. Seus textos, seus desenhos, seus parcos estudos ocupavam-se apenas desse assunto. Só lia autores que tentassem explicar a atração sexual e só conseguia se concentrar em teorias sobre relacionamentos amorosos, com ênfase na terapia de casais, o que a aproximou ainda mais de Jurema, já que essa era a especialidade da supervisora. O problema é que seu único interesse prático era a aplicação do conhecimento em apenas dois exemplos: Nicole e Marcus.

Raquel passou a vigiá-los em bares, boates e até na porta da casa de Marcus, onde fazia vigílias de madrugada com a anuência dos seguranças da rua, que a conheciam desde pequena. Não conseguia enxergar coisa alguma no interior da residência, mas permanecia acordada, na esperança de testemunhar uma briga, um desentendimento, quem sabe um rompimento.

Confusa, perdera a noção objetiva de seus planos de vingança. Por que torcia para que eles se separassem? Não queria qualquer contato com Marcus. Ele era um covarde, um frouxo, um filhinho de papai. Odiava aquele filho da puta. Não podia alimentar ilusões idiotas sobre ele. Que ficasse para sempre com a secretária pedante! Não se importava. Ou, pelo menos, precisava se convencer de que não se importava. Em um pequeno caderno de colégio, fazia anotações sobre as rotinas do casal, registrando preferências, lugares frequentados e outros detalhes mais sórdidos, numa espécie de dossiê. Conhecia todos os horários, todas as atividades, todos os trajetos dos pombinhos. Tomava os cuidados necessários para não ser vista, mas sabia que a situação não se sustentaria para sempre. Só não esperava que o flagrante acontecesse de forma tão humilhante. E que Marcus fizesse o que fez.

* * *

Aos sábados, segundo a visão romântica de Pastoriza, o Jardim Oceânico lembrava uma pequena cidade litorânea, daquelas que se dividem em comunidades de pescadores, surfistas e outras tribos ligadas ao mar, onde todos se conhecem e têm a mesma opinião sobre as necessidades básicas da vida: sol, chope e a conversa amena no final da tarde, quase sempre acompanhada dos amigos de infância e dos vizinhos mais chegados. Uma visão que parecia exageradamente idílica para quem não morava no bairro, mas que podia ser compreendida pela comparação com os outros pontos da praia da Barra, invadida por hostes de farofeiros referendados pelos próprios habitantes dos condomínios fechados e espigões, cujo comportamento extravagante dava subsídios para que fossem rotulados de emergentes sociais.

No perímetro entre a Rua Olegário Maciel e a Praça do Ó, havia apenas prédios de três andares, gabarito-limite da área. As amendoeiras amenizavam o calor com sombras generosas, além de abrigar pequenos pássaros que ensaiavam a nona de Beethoven enquanto se equilibravam pelos galhos. Os moradores tinham média de idade entre trinta e sessenta anos, bom nível cultural e gosto peculiar pela tranquilidade, embora abrissem exceções para o espírito boêmio que invadia as madrugadas. Na parte oposta à praia, ao lado da Avenida das Américas, ficava o Baixo Barra, cujos bares e boates ampliavam decibéis pela região, mas ninguém reclamava do barulho. Pela manhã, os mesmos bares serviam o desjejum para os menos notívagos — ou para os notívagos insones, como era a caso de Pastoriza.

Não acordou cedo, simplesmente não dormiu. Durante a madrugada, ficou remoendo a longa conversa com o delegado Rogério. Buscou cada detalhe, cada fragmento de informação que pudesse trazer alguma luz sobre o sequestro. Reviu a lista de alunos que faziam supervisão com Marcus na clínica universitária, relembrou a história contada por Virgínia e tentou adivinhar por que Jurema tentara incriminá-lo com aquela receita. Entretanto, por mais que pensasse, não chegou a qualquer conclusão. Passou a noite sem ideias e sem sono.

As decisões do delegado também o haviam incomodado. Lobão simplesmente se recusara a chamar Jurema à delegacia e ainda pedira a Pastoriza que não a alertasse. *Vamos deixá-la livre e segui-la para ver se nos leva a alguma pista*, disse Rogério, sem considerar que, enquanto ela estivesse solta, Pastoriza continuaria como suspeito. Mas o pior mesmo era o pouco-caso com que recebera a acusação de Virgínia, que apontara Karen como autora do sequestro. A mudança de opinião fora súbita, de repente. Segundos antes de ouvir o nome da aluna, ele se preparava para ligar para a delegacia da Gávea. Mas, estranhamente, desistira não só de chamar Virgínia como de investigar Karen:

Isso deve ser caô da menina. Levou um toco do amante e agora tá querendo vingança, acusando a colega. Não dá pra acreditar nessa história, Pastoriza. Mas Pastoriza começava a acreditar. Havia várias pistas: a ausência de digitais, o contato com os meninos da favela e o horário de atendimento da clínica indicando a presença no campus — em plantão, fora do consultório — na hora em que o pedido de resgate fora enviado. A culpada era Karen, só podia ser Karen.

Ainda pensou em preparar o rudimentar café coado na meia do John Wayne, mas estava cansado de mastigar o pó. Também não conseguia comer as torradas de miolo mole feitas na máquina que só queimava as bordas. Sem falar que a cozinha estava um nojo: pratos com restos de comida jogados pela pia; copos de vinho pela metade, cheirando a vinagre; latas de cerveja amontoadas pela mesa; pacotes úmidos de chá de camomila, inutilmente utilizados para combater a insônia. Melhor correr para a padaria.

Caminhou pela Rua Coutinho Fróis até chegar na Monsenhor Ascânio. No restaurante Vice-Rey, um dos mais antigos do bairro, os faxineiros ainda terminavam a limpeza. Seu Luís, o gerente, dormia na rede montada na varanda, sem ligar para os travestis que encerravam o expediente na porta do motel cuja fama se devia a um escândalo envolvendo um jogador de futebol. Virou à direita na primeira rua, passou pelo Nativo (também conhecido como o restaurante do Chuck Norris por causa da incrível semelhança do proprietário com o ator americano), cruzou a pista da praia e seguiu pelo calçadão da Avenida Sernambetiba.

No quiosque do Russo, os últimos boêmios entupiam as artérias com os hambúrgueres recheados com bacon, ovos e muito queijo. Alguns metros à frente, na Barraca do Pepê, a cena era oposta: os naturebas consumiam sucos de fruta, pão integral e pastas à base de ervas, leguminosas e folhas. Sentiu um certo asco de tanta saúde, uma repulsa visceral pelo excesso de cores dos alimentos ricos em vitaminas, sais minerais e toda a quantidade de nutrientes necessários para manter a boa forma, algo que ele jamais cultivara.

    A praia estava vazia. Poucos surfistas se aventuravam no mar gelado da Barra. Algumas senhoras tomavam o banho matinal de prevenção à osteoporose. Dois ou três garis recolhiam cocos, garrafas de plástico e outros objetos descartáveis. Um grupo de aspirantes a bombeiro corria pela areia fofa entoando refrões entusiasmados. *Um, dois, três, quatro. Quatro, três, dois, um. Quem é que manda no quartel? Salva-vidas de chapéu!* Não entendeu a rima, mas tinha a ligeira impressão de que os corredores também não entendiam.

    Na esquina com a Olegário, cruzou a pista em direção à igreja. Passou pela pizzaria Capricciosa, pela boate do iraniano, pelo restaurante japonês, pelo pé-sujo do Joaquim, pelo posto de gasolina, pelo Bar do Arnaldo e pela sorveteria Itália. Pediu um café expresso e um misto-quente na lanchonete do Bibi. Sentou-se em uma das mesas da calçada, de frente para o supermercado. Dois casais aguardavam na mesa ao lado, ainda sonolentos, com roupas de executivos. Eles usavam ternos escuros, gravatas de seda e sapatos envernizados. Elas vestiam *tailleur*, tinham os cabelos presos e portavam *blackberries* de última geração, cujas telas iluminadas eram a prova de que também existe vida corporativa num sábado de manhã.

    Pastoriza se imaginou naquela função, trabalhando em multinacionais que exploravam seus empregados até nos finais de semana. Bateu na madeira três vezes. Em seguida, lembrou que, de certa forma, também estava trabalhando, pois não parava de pensar nos problemas da universidade. Aliás, esse era o motivo do agravamento da insônia e, consequentemente, de sua presença na lanchonete.

Quando o garçom trouxe o sanduíche, já tinha perdido a fome. O café estava frio e não caiu bem. Sorveu o líquido com força, como um estivador, produzindo ruídos de sucção que incomodaram os vizinhos. Separou o queijo e o presunto do pão de fôrma, deu duas mordidas nas fatias puras e abandonou o resto. Antes que pudesse levantar a mão para pedir a conta, percebeu a sombra alongada sobre a mesa e virou o pescoço para ver quem era.

— Bom-dia, diretor.

Nicole estava suada, o rosto mais avermelhado que o normal, os músculos da perna ainda contraídos. Trajava um daqueles uniformes de academia de ginástica: shortinho preto, top no mesmo tom e a indefectível meia até o joelho, cujo tecido parecia feito para o clima da Groenlândia. Ao cumprimentar Pastoriza, que estava sentado, deixou que a pélvis encostasse em seu ombro, causando uma excitação constrangedora, mas muito bem-vinda.

— Está longe de casa, menina — disfarçou.

— Precisava fazer exercício, aliviar um pouco a tensão dos últimos dias. Gosto de correr na Barra. A praia é mais limpa e os prédios não ficam colados uns nos outros como na Zona Sul. Quando corro em Copacabana, fico sufocada. Acho que sofro de algum tipo de claustrofobia.

— Isso parece mais com uma tendência à hipocondria.

— No momento, pode ser inanição mesmo. Desde que o Marcus foi sequestrado, não consigo me alimentar direito. Preciso tomar um suco, comer alguma coisa.

A frase era um convite explícito para dividir a mesa com Pastoriza, que puxou uma cadeira para a aluna e chamou o garçom. Os efeitos da noite em claro ainda perturbavam a cognição, mas a situação o estimulava. Pediu um suco de graviola e um sanduíche natural. Para ele, outro café, nada mais.

— Alguma novidade lá na casa do pai do Marcus?

— Até agora, os sequestradores só fizeram um contato. A mãe dele ainda está em choque. Passa o dia inteiro sedada. O Arlindo é que cuida de tudo, mas também está arrasado por causa da falta de notícias. Ele se sente impotente. Apesar de ter tanto dinheiro, não consegue pagar pela liberdade do próprio filho. Isso é a morte pra ele.

— As investigações não evoluíram? Sei que o governador se envolveu pessoalmente no caso. Deve ter pressão política em cima da polícia.

— Você é que pode me dizer isso, diretor. O delegado da DAS não é seu amigo?

— Como você sabe?

— Ele comentou com o Arlindo. Disse que vocês se conhecem desde o colégio.

— É verdade, mas não discutimos o assunto.

Pastoriza mentiu. Não pretendia falar sobre Rogério, muito menos sobre os indícios que apontavam o envolvimento de Karen e Jurema. Mas continuava intrigado com aquele encontro repentino. Podia ser apenas uma coincidência, embora custasse a acreditar no acaso. Às vezes, tanto ceticismo o levava a paranoias injustificadas.

— Onde você estacionou?
— Não vim de carro. Estava correndo na praia, lembra?
— Mas você não veio correndo de Copacabana pra cá, veio?
— Não. Dormi na casa de uma amiga aqui perto. Não queria ficar sozinha.
— Vai passar o dia na Barra?
— Não sei. Pretendia passar na casa do Arlindo, mas como não posso ajudar em nada me sinto péssima. Acho que vou ficar por aqui mesmo, pegar uma praia, sei lá.

Nicole ficou no bairro. Só na lanchonete, foram quase quatro horas de conversa, pontuadas por diversos sucos e salgadinhos, além de algumas xícaras de café frio que, àquela altura, nem parecia tão frio assim. Em momento algum voltaram a mencionar o sequestro de Marcus ou as investigações de Rogério. Falaram sobre a vida, sobre a faculdade, sobre os amores perdidos e sobre o assunto preferido dela, literatura, apesar da evidente discordância estética entre eles.

Quando Pastoriza a convidou para almoçar, ela se lembrou do suor ressecado na pele, mas fingiu não se importar com o corpo grudento e a roupa inadequada. Caminharam de volta pela Olegário Maciel em direção à praia, viraram à esquerda e continuaram pelo calçadão até o quebra-mar. Sentaram na varanda do restaurante especializado em mariscos, cujas mesas estavam posicionadas de frente para as ondas que batiam violentamente nas pedras pontiagudas da encosta do Joá.

O almoço se estendeu pela tarde inteira. De entrada, pediram camarões fritos e uma porção de lula à doré para acompanhar a caipivodca de lima, ou melhor, as caipivodcas de lima, consumidas antes do prato sugerido pelo maître, cujo preparo demorou duas horas: o tradicional caranguejo *vermont*, temperado com azeite grego e servido com batatas ao murro, arroz de limão e uma salada envergonhada.

Como a vodca não combinava com o crustáceo, abriram uma garrafa de vinho branco francês, um Chablis, reserva especial, safra 1999, exemplar único na adega do restaurante, o que os obrigou a também experimentar um vinho chileno para completar a refeição, tão demorada quanto o preparo. Degustaram lentamente a iguaria, apreciando os aromas e as cores, mas, sobretudo, tentando decifrar os códigos não verbais que os aproximavam.

Para um psicanalista experiente, aquele joguinho poderia soar meio infantil, mas Pastoriza compreendia que o jogo era parte da sedução, uma parte importante demais para ser tratada com psicanálise. Além disso, não existia análise de botequim, muito menos de restaurante à beira-mar. O lugar da terapia era o divã e ele estava longe dos consultórios havia muito tempo. Qualquer tentativa de aplicar conceitos freudianos naquela situação não passaria de um embuste. E de um tremendo corta-tesão.

Nicole não pensava assim. A aplicação dos conceitos a excitava tanto quanto o próprio jogo. Também gostava de se imaginar numa cena literária, como personagem de um romance escrito por um de seus autores favoritos. O sujeito na frente dela poderia encarnar qualquer papel que imaginasse: um nobre inglês, um serial killer, um amante latino, um gigolô russo e até um professor metido a garanhão. Ela entraria no enredo sem se importar com a história, apenas pelo prazer de criar as personalidades, de inventar as peças do tabuleiro.

Os demais clientes do restaurante não puderam deixar de reparar no casal. Não só pela conversa engajada, íntima, mas, principalmente, pelas risadas extravagantes que preenchiam o ambiente. Pastoriza e Nicole pareciam compartilhar um mundo próprio, sem limites, alheio a qualquer interferência externa. Mal perceberam que o dia havia escurecido quando o garçom perguntou se queriam algo mais. Queriam, mas tinham paciência para esperar. Não pediram sobremesa nem café, apenas uma terceira garrafa de vinho, que ele carregou embaixo do braço logo após pagar a conta. Trôpegos, fizeram o caminho de volta pela areia, bebendo pelo gargalo. Era um começo de noite com poucas nuvens, a lua minguante e uma brisa morna em contraste com a água gelada. Seguiram o rastro deixado pela espuma das ondas, na direção do pontal. Passaram pela Barraca do Pepê, pelo quiosque do Russo e pelo restaurante Nativo, antes de voltar para o calçadão. Descalços, caminharam pelo asfalto ainda quente da rua onde Pastoriza morava.

Não precisaram do elevador para chegar ao segundo andar.

17. Diversão

Na década de setenta, a Rua Capuri, em São Conrado, concentrava as mansões mais luxuosas da cidade. Pela via íngreme, de quase um quilômetro de extensão, atravessando a mata atlântica em direção à montanha, circulavam os carros com rabo de peixe dos principais banqueiros do Rio, cujos motoristas vestiam impecáveis ternos pretos e quepes de couro com viseira em acrílico. Além deles, políticos e empresários ligados à ditadura militar também desfilavam pelo local a bordo de modelos esportivos e acompanhados de mulheres entubadas em vestidos de grife. Para morar na Capuri, não bastava ter dinheiro. Era preciso a aprovação da associação de moradores, formada por uma elite aristocrática que impunha normas de conduta em respeito aos valores da família, da tradição e da propriedade.

As mansões ocupavam terrenos de quatro a dez mil metros quadrados, com direito a floresta particular, piscinas naturais alimentadas pela água das cachoeiras da região, quadras de tênis e vista para o mar. Os estilos variavam entre o *art déco* e a sobriedade britânica, mas todas tinham elevador, academia de ginástica, sauna seca e a vapor, salões com pé-direito duplo e, no mínimo, oito suítes devidamente decoradas pela única equipe de arquitetos permitida pela associação. Também se tornava imprescindível ter um mordomo trajado com fraque inglês, cuja tarefa não era apenas receber os convidados ilustres nas intermináveis recepções de gala, mas comandar a equipe de cozinheiras, garçons, faxineiras e demais empregados da casa.

A Capuri era uma festa. Diplomatas recebiam chefes de Estado, dondocas da alta sociedade faziam bailes de máscara fora de época, executivos promoviam *soirées* dançantes para fechar negócios milionários, filhos abastados juntavam os colegas de escola para shows privados com as estrelas da música nacional, cujos patrões, donos das maiores gravadoras do país, moravam na rua. Aos sábados, os ouvidos se confundiam com a variedade de ritmos, misturados em partituras sobrepostas pelas diversas celebrações dos moradores.

Mas, a partir da década seguinte, a vizinhança começou a mudar. Por motivos detalhadamente explicados pelo manual da aristocracia brasileira, não era de bom-tom viver ao lado da maior favela da América Latina, cujos barracos de alvenaria desbotada se multiplicavam a cada dia, invadindo a floresta e se aproximando das mansões. No começo dos anos noventa, já dava para espiar o vizinho favelado pelo basculante do banheiro, além de ser espiado por ele, o que era inadmissível. Estava na hora de vender.

Os preços caíram, as exigências foram retiradas, as mansões mudaram de dono. Uma delas, pertencente ao presidente do banco Lar Americano, foi comprada pelo maior fornecedor de material de limpeza do governo estadual, conhecido como o rei dos desinfetantes, um septuagenário cuja mulher, quarenta anos mais nova, já frequentava as colunas sociais sob a alcunha de rainha das emergentes.

O filho do primeiro casamento morava com eles. Chamava-se Valdir, mas respondia pelo apelido, Diguinho, um diminutivo que combinava mais com a baixa estatura e o jeito infantil, embora o garoto já estivesse perto dos trinta. Madrasta e enteado dividiam os espaços da casa para seus eventos extracurriculares, o que incluía desde bazares de roupas caninas (isso mesmo, roupa pra cachorro) até bailes funk com a presença dos principais MCs do batidão carioca.

Naquele sábado, a mansão pertencia ao príncipe. Era a festa do ano, como comentavam na faculdade, onde ele estudava havia dez anos, tempo mais que suficiente para ser jubilado se não fosse a intervenção pessoal do reitor, amigo do pai milionário, um dos principais doadores de recursos para a Universidade Anglicana. A organização ficara a cargo das potrancas da psicologia, como Diguinho as chamava, o que garantia uma abundante presença feminina, para a satisfação dos colegas da engenharia.

O orçamento era ilimitado. Só com a decoração o valor gasto dava para fechar qualquer boate da Zona Sul durante duas noites. As garotas também haviam contratado um bufê de luxo, que incluía jantar com cinco opções preparadas por um conhecido chefe de cozinha, canapés a base de especiarias importadas, uísque doze anos, champagne francês, cerveja belga e até uma enorme bancada de drinques feitos com vodca polonesa, além da tradicional mesa de doces, licores de frutas e bebidas quentes.

No comando das *pickups*, três MCs famosos, entre eles um vereador que tinha um programa na televisão sobre os bailes do subúrbio. A ordem do anfitrião era "pra rolar funk a noite inteira, sem intervalo. Nada de musiquinha de festa, tipo *Rick Asley, A-ha* e *I Will Survive*. Muito menos as velharias nacionais: Tim

Maia, Jorge Ben Jor, Rita Lee e outros cantores de bengala". Naquele som, só entravam títulos nobres, os melhores batidões: Atoladinha, Pegação, Gordurosa, Deusa Creusa, Boladona, Cabelo Encolheu, Glamourosa e a preferida, Dança do Créu, que tinha o poder de levantar qualquer pista da cidade. A atração principal, no entanto, ficava por conta da mesa especial ao lado do banheiro, preparada por Karen com todo o cuidado necessário. Ela mesma se encarregara de embalar a cocaína que seria servida aos mais de trezentos convidados. Era coisa da boa, sem mistura, garantida pelo chefe do tráfico, que também estava na lista da festa, junto com outros doze comparsas, para garantir a segurança. O bonde da Rocinha era esperado para o meio da madrugada, quando as luzes se apagariam e um proibidão seria tocado para homenagear a autoridade presente.

Os primeiros a chegar, lá pelas nove e meia da noite, encontraram a casa ainda vazia. Eram oito mulheres, todas da psicologia, lideradas por Samantha, que parecia conhecer muito bem o anfitrião.

— Qual é, Diguinho?!
— Fala, gostosa!
— Essa festa vai bombar!
— Já é! Tá tudo pronto. Mas eu tô bolado com a Karen. Ela arrumou a mesa com o fubá e sumiu. Cadê a perua?
— Tá tranquilo. Segura a onda que ela já volta. Foi lá na boca pegar mais, pra garantir. Ela num deixou um soldado tomando conta da parada?
— O cara tá lá, paradão.
— Então tá limpeza. Deixa que ele organiza o bagulho.
— Mas como é que a Karen saiu daqui? Tem três armários lá no portão. Nenhum deles viu a mulher passar!

— Na moral, Diguinho. Tu tá muito estressado. Ela conhece a área. Deve ter ido pela mata. Tem umas cinco trilhas da tua casa até a favela. Já esqueceu de quem ela é namorada?

Outro grupo chegou, atraindo a atenção do dono da festa. Aos poucos, o salão foi enchendo e ele se esqueceu de Karen. Lá pela meia-noite o evento realmente estava bombando. As bandejas com uísque e champagne circulavam generosamente, assim como os canapés, salgados e outros aperitivos para espantar a larica precoce. No som, MC Jaiminho e o funk do alemão:

Alemão tu passa mal porque o comando é vermelho/
é o bonde só de cria que só tem destruidor/
o comando é o comando/
Se liga sangue bom, para você formar no bonde tem que ter disposição/
porque de dia e de noite, pode crer a chapa é quente/
é melhor pensar direito se tu quer formar com a gente/
na alta da madrugada o bonde já tá formado/
no nariz o pó de cinco e na boca o baseado.//

O pó não era de cinco, era gratuito. Uma fila se formava na porta do banheiro reservado para a galera cheirar as carreiras distribuídas pelo soldado do tráfico, cuja arma, uma pistola dourada, ficava bem à mostra. Só podiam entrar dois convidados de cada vez, para não tumultuar. Alguns voltavam para a linha e repetiam a dose, enquanto outros, menos resistentes ou neófitos, saíam cambaleando pela pista.

A música mudou. Samantha encarou uma dose dupla, com direito a furar a fila, pois era amiga do traficante. As alunas de psicologia que a acompanhavam desfrutaram do mesmo privilégio. Todas conheciam as letras de funk e executavam as coreografias aprendidas nos bailes da Rocinha, cujos passos abrangiam diferentes versões de reboladas, filas indianas e cavalgadas. Com as mãos na cintura, elas flexionavam os joelhos paulatinamente até o glúteo atingir o chão. Em seguida, empinavam a pélvis, viravam o pescoço, olhavam para trás e se contorciam em movimentos circulares, além de morder os lábios nos intervalos do refrão: *Tô ficando atoladinha. Tô ficando atoladinha!* Duas delas simulavam uma masturbação recíproca, incentivadas por um grupo de estudantes de engenharia que se encaminhava para o coma alcoólico.

Nova música. Formaram o trenzinho. Homens e mulheres na linha, um atrás do outro, roçando as coxas e respirando no cangote alheio. *Na batida do neném, ninguém é de ninguém!* Meia-volta, outro rumo, outras coxas. *É o funk da suruba, pode aproveitar!* Dezenas de braços sobre corpos suados como um grande polvo. *Quem entra vai ficar com a boca no fubá!* Uma única voz, todos ligados na letra, presos ao ritmo compassado.

Até os garçons entraram na dança, para desespero da responsável pelo bufê, que não acreditava no que via. Arranjos de luxo desabavam das mesas ou eram atirados por convidados enlouquecidos em cima das rodas ao longo da pista. O uísque era usado para resfriar o corpo, assim como o champagne ou qualquer outra bebida que estivesse ao alcance. Nos aparadores distribuídos pelas laterais do salão, os pratos sofisticados do jantar permaneciam intocados, à espera da um novo surto de larica.

Às três da manhã, o vereador do programa de TV assumiu as pickups. De cara, mandou um clássico, o *Rap das armas*:

Parapapapapapapapapa
Parapapapapapapapapa
Paparapapaparapa kla ki bum
Parapapapapapapapa

Morro do Dendê é ruim de invadir
Nós com os alemão vamos se divertir
Porque no Dendê eu vou dizer como é que é
Aqui não tem mole nem pra DRE
Eu dou o maior conceito para os amigos meus
Mas morro do Dendê também é terra de Deus

Tem um de AR15 e o outro de 12 na mão
Tem mais um de pistola e outro com dois oitão
Um vai de Uru na frente, escoltando o camburão
Tem mais dois na retaguarda, mas tão de crock na mão
Amigos que eu não esqueço, nem deixo pra depois
Lá vem dois irmãozinhos de 762

A vizinhança dessa massa já diz que não aguenta
Na entrada da favela já tem ponto 50
E se tu tomar um "pá", será que vc grita?
Seja de ponto 50 ou então de ponto 30

Mas se for alemão eu não deixo pra amanhã
Acabo com o safado, dou-lhe um tiro de fazan
Porque esses alemão são tudo safado
Vem de garrucha velha dá dois tiro e sai voado
E se não for de revólver, eu quebro na porrada
E finalizo o rap detonando de granada!

Parapapapapapapapapa
Parapapapapapapapapa
Paparapapaparapa kla ki bum
Parapapapapapapapa

Houve uma espécie de êxtase coletivo. O público não só conhecia a letra completa como fazia coreografias específicas para cada arma citada na música. Só Diguinho parecia fora do clima, apesar de ter cheirado uma longa carreira de cocaína. Aquele funk lembrava-lhe que o dono do morro ainda não havia chegado e que a namorada dele, Karen, desaparecera. Como iria explicar isso ao sujeito?

Procurou por Samantha, mas também não a encontrou. As amigas continuavam na festa, mas não sabiam onde ela estava. Vasculhou os banheiros, os quartos e até a cozinha. Nada. Cruzou a sala em direção ao lavabo onde o pó era consumido. Nem o traficante responsável pela droga estava lá, embora ainda houvesse algumas carreiras em cima da pia.

Pediu aos seguranças do portão que ajudassem na busca. Alguma coisa estava errada. A boca seca e o frio na espinha eram sintomas claros. A chapa estava esquentando, sua intuição não falhava. Se as duas tinham sumido, devia haver um motivo lógico, concreto. E só podia ser merda. Merda das grandes. Ainda mais que uma delas era a mulher do chefe do tráfico.

Tô ferrado, repetia para si mesmo, enquanto vagava pela mansão atrás das garotas. Procurou nas quadras de tênis, nos jardins, na piscina e na antiga casa do mordomo, que era usada pelos empregados mais próximos. O que teria acontecido? Não podia ser problema com as drogas: ele pagara à vista, diretamente a Karen, sem intermediários.

Entrou na mata e seguiu por umas das trilhas da favela, mas andou apenas alguns metros. Havia muito lixo pelo caminho, estava escuro, era impossível continuar. Voltou pela parte mais íngreme do terreno, perto da rua, observando os copos que jaziam pelos cantos. Quando se aproximava da sauna, ouviu o grito do casal que se refugiara na sala de musculação para ter mais privacidade.

O corpo de Karen foi encontrado ao lado da máquina de supino. Ela estava amarrada, amordaçada, e tinha uma faca enfiada no estômago. Havia marcas de espancamento e queimaduras pelo braço.

Nenhum sinal de Samantha.

* * *

O problema da insônia não é ficar sem dormir, é o estado de suspensão que acomete o indivíduo durante a noite em claro. Para quem tem um despertador na mesinha de cabeceira, a aproximação do horário marcado multiplica a angústia e se transforma em um fantasma onipresente, produzindo um círculo vicioso que o impede tanto de descansar como de produzir. As horas passam, o sono não vem, o sujeito vira um zumbi. A alternativa de levantar da cama e se dedicar a outras atividades encontra um forte obstáculo: falta energia para o insone. Ele é um europeu no deserto. Sem água, sem comida e sem bússola. O que fazer?

Nas últimas vinte e quatro horas, Pastoriza acreditava ter encontrado a solução do problema. É verdade que o dia anterior fora um sábado sem compromissos, mas as garrafas de vinho, a boa comida e, principalmente, a noite ao lado de Nicole haviam terminado em um sono profundo de quase doze horas. Se pudesse colocar aqueles ingredientes em um elixir, ficaria rico. Ou talvez o guardasse apenas para consumo pessoal, já que a fórmula poderia ter algumas contraindicações. Levantou às onze e quinze. Não tinha sintomas de ressaca nem de qualquer tipo de indisposição. Pelo contrário: sentia-se revigorado, forte, como se tivesse bebido apenas suco de fruta com energético. Mas havia uma angústia inexplicável naquele vigor, uma espécie de culpa pelo bem-estar matinal, algo muito raro ao longo dos seus quarenta e seis anos de vida. O gosto do vinho permanecia na boca, misturado com outros paladares menos inocentes. Seu rosto parecia rejuvenescido no espelho. Pelo reflexo, podia ver quatro arranhões paralelos que iam do ombro esquerdo até a metade das costas. Na mesinha lateral, a garrafa vazia e duas camisinhas usadas. As roupas estavam jogadas pelo chão, assim como o lençol e os travesseiros. O ar-condicionado fazia o barulho de sempre, embora a sujeira do filtro não permitisse que a temperatura baixasse dos dezenove graus.

Nicole ainda dormia, de bruços, enrolada no edredom, com os pés descobertos e o braço direito caído para fora da cama. Mal dava para ouvir a respiração. O cabelo cobria a boca e parte da maçã do rosto, deixando o pescoço à mostra. Um pequeno pingente de diamantes sobrevivera aos movimentos bruscos da esbórnia noturna, mas faltavam duas ou três pedras, espalhadas pelo quarto.

O vapor do chuveiro não a acordou. Após o banho, Pastoriza preparou um suco de melancia no liquidificador perneta e esquentou as torradas de miolo mole na máquina velha, mas se recusou a usar o coador de café. Em vez disso, fez um chá de erva-doce, acompanhado de algumas gotas de limão para realçar o gosto. Colocou tudo numa bandeja e levou a refeição na cama sem mencionar que seu objetivo não era ser romântico, mas apenas evitar que ela entrasse na cozinha, cuja louça não era lavada havia uma semana.

— Bom-dia, diretor — disse Nicole, ainda se espreguiçando, depois de sentar na cabeceira e deixar o edredom escorregar pelo corpo.

— Em dois dias, é a segunda vez que ouço esse bom-dia.
— Espero que o de hoje seja melhor que o de ontem.
— Ambos foram surpreendentes, mas o de hoje teve mais...
— Volúpia?
— A palavra é boa, mas não era o que eu ia dizer.
— E o que era?

Não sabia. Talvez nem fosse um adjetivo sensual. Talvez nem adjetivo fosse. Muito menos, sensual. Um substantivo seria mais adequado, mais sóbrio, embora a palavra volúpia fosse, de fato, um substantivo. Pensando bem, após o verbo "ter", seguido do advérbio "mais", só poderia usar um substantivo. *Que é isso? A garota nua na minha frente e eu aqui pensando em gramática!*

Pousou a bandeja na mesa e pulou em cima dela. Rolaram pela cama, o edredom ainda amassado, atrapalhando os movimentos. Primeiro, desvencilhou um dos joelhos, aquele das cicatrizes observadas no dia em que se conheceram: a casca já endurecida, uma ruga de pedra sem contornos. Beijou o joelho. E deslizou a língua pela parte interna da coxa, enquanto usava as mãos para libertar a outra perna. Os olhos perto da carne: uma lente de aumento, os poros que saltam enrubescidos.

Ela o segurou por baixo: a palma estalada se fechando nas bolas. A boca explorando territórios, sem urgência, a não ser a de se livrar da cueca já umedecida. Duas mordidas na virilha e o gemido que vaza pelo quarto atravessando paredes, amplificado pela ansiedade do movimento seguinte: aperta a glande suada, em rígida expectativa, descendo pelo tronco e retornando pelo mesmo caminho, sem pausas na cadência detalhada.

Ele alcançou-lhe a pélvis no mesmo ritmo. Um dedo, dois dedos, e a devolução do gemido escorrendo pelas laterais. Degustaram juntos: ele sorveu o fluido viscoso dela e beijou a boca subvertida pelo desejo de compartilhar um pouco de tudo, quase tudo, ou melhor, tudo. Dividiram o gosto na saliva. Engoliram o gozo precoce de Nicole, que suspendeu a anca sobre o colchão e abocanhou o pau de Pastoriza para também degluti-lo. O jorro atingiu a garganta, inundou as bochechas e ebuliu pelos dentes. Ela lambeu os lábios sem pressa, em círculos anti-horários, tentando recuperar o líquido que escapava pelo queixo.

Uma rapidinha antes do café.

* * *

Na casa de Arlindo, o e-mail chegou pontualmente às quatro da tarde. O remetente era Iara-arroba-provedor, justamente o nome com o qual o sequestrador assinara o primeiro contato. Como fornecia uma nova prova de vida, não havia dúvidas de que se tratava do verdadeiro bandido, mas todos estranharam a linguagem violenta e a nova assinatura, parecida com a primeira, apenas com uma sutil diferença nas duas primeiras letras (Clara no lugar de Iara):

"Dr. Arlindo,
Já perdi a paciência. Se o senhor vacilar, seu filho morre. Em anexo, uma foto dele com o jornal de hoje como prova de vida. E o resgate é o seguinte: o senhor tem uma semana para ir à imprensa e confessar todos os seus pecados. E não adianta dizer que não sabe do que estamos falando. Se não fizer o que mandamos, vai receber o coração do moleque numa lata de azeite. E também queremos dinheiro: um milhão de reais em notas de cinquenta.

Ass.: Clara."

18. Terapia

Todo encontro é também despedida. Claro que entendi, doutora. Sou neurótica, mas não sou ignorante. Você tá me dizendo que tudo que começa um dia acaba. Mas quando acaba? A gente já acabou, Carlinho? Fala, Carlinho! Não pode ter acabado, senão por que estaríamos aqui? Terapia de casal é pra juntar o casal, não pra separá-lo. Não é isso, doutora? Como não sabe? Depende do quê? De mim é que não pode ser. Vim aqui por causa dele. Por mim, já estaríamos em lua de mel pela Europa, alimentando os pombos na Praça de São Marcos, subindo no Arco do Triunfo, comendo pastéis de nata no Mosteiro dos Jerônimos. Tudo bem, vou confessar: não estamos juntos há dez anos. É muito menos. Só que parecem dez anos de verdade. Conheço cada detalhe do Carlinho, cada cheiro, cada passo, cada gosto, cada riso, cada espirro, cada camisa, cada botão de cada camisa.

Ele também me conhece. Não é, Carlinho? Conta pra ela! Eu sou a Olga, doutora. Não tenho mistérios. Sou transparente, limpa, uma mulher sem segredos. Toda mulher tem segredos, eu sei. Mas os meus não escondem nada. São besteiras sem importância.

Nunca traí nenhum namorado. Talvez em pensamento, mas isso não conta, né? Eu até dou aquelas olhadas pros homens bonitos, bem-vestidos, como todas fazem. Mas fica por aí. Jamais quis entrar em aventuras passageiras. Esse negócio de beijo escondido e motel na Barra não me seduz. Ou será que seduz? Tá fugindo do assunto, doutora. Por que me fez essa pergunta? Não quero me separar. Tenho certeza. O Carlinho também não. Não é, Carlinho? Sei: você acha que não seria separação porque não estamos mais juntos. Isso é mentira. Claro que estamos juntos. Não estamos casados, mas somos um casal. Posso não ter um papel, mas me sinto casada. Nós nos sentimos casados.

O Carlinho não fala muito, mas sei o que sente. Nas noites de sábado, depois que ele enche a cara de cerveja e deita no sofá, fico observando o modo como respira fundo, puxando o ar com força, formando um ronco áspero, torto. Naquele ronco vejo todos os problemas que ele carrega, tudo que precisa suportar, tudo que tem de aguentar. É um ronco de libertação, doutora. Ao expirar, a angústia vai embora. O mundo vai embora. E eu estou lá, pra velar o sono e ver o mundo passar. O Carlinho sabe disso.

O dia dele é uma pedreira, uma luta sem fim. Sempre trabalhou pelos outros, pensando nos outros, no coletivo. Nunca fez nada pra ele mesmo, em proveito próprio. Carlinho é um herói, doutora. Sempre foi. Desde a adolescência. Foi líder estudantil, enfrentou a ditadura, montou uma coluna militar, encarou a tortura, cuspiu nos traidores. Um herói, doutora.

Hoje, vive esquecido. Só eu dou o valor que ele merece. A sociedade já o esqueceu. Os amigos o esqueceram. A família também. Quem disse que ele não tem idade pra ter lutado contra a ditadura? Conta pra ela, Carlinho! Essas coisas enganam, doutora. A tortura deixa marcas. Algumas pessoas envelhecem rápido, outras parecem mais novas. É por causa do eletrochoque. Aquilo acaba com os neurônios, deixa a pele lisinha. Tem muita mulher que toma choque hoje em dia só pra ficar com cara de menina. Sabia disso? Essas peruas não têm noção!

O Carlinho é frágil, precisa de proteção. Já reparou como ele é baixinho? Claro que é, olha bem! Não posso deixar que cheguem muito perto dele. Não é seguro. E se levar um esbarrão no meio da rua? Ou uma fechada no trânsito? Já pensou se o motorista sai do carro com uma arma? Não tô te chamando de fraco, Carlinho. Desculpa. Quando disse que você era um frangote, estava nervosa. Foi sem querer. É que eu não aguento essa tua indecisão. A pior palavra do mundo é o "talvez", doutora. O "talvez" aprisiona a gente no desejo do outro. Tenho que ficar esperando que ele se decida pra continuar com a minha vida. É um horror!

Olha pra minha unha, doutora. Estou horrível! Não tive tempo de passar na manicure. Nem no cabeleireiro. Na semana passada, a menina do salão me disse: Olga, esse teu cabelo parece uma esponja de banheira. Fiquei arrasada. Mas o que eu podia fazer? Não dava tempo pra uma escova completa. Tinha que pegar o terno do Carlinho no tintureiro. Sábado, a gente tem um casamento. Vai ser um inferno. Todo mundo perguntando: Quando vai chegar a vez de vocês? Tão ficando velhos! Vai ficar pra titia, Olga? São uns invejosos!

Não, o Carlinho não foi meu segundo namorado. Nem o terceiro, nem o quarto, nem o quinto. Vai ser muito cafona se eu falar que foi o único, mas é isso mesmo. Sinto como se fosse o único, o único pelo qual vale a pena estar aqui, nesse consultório escuro, contando a minha vida.

Por que querem tirá-lo de mim, doutora? Por quê?

19. Loucura

Não chegou a ser uma trepada completa, como a da noite anterior, mas a sacanagem matinal abriu o apetite de Nicole.
— Essa torrada é uma delícia.
— Que é isso? Nem eu aguento comer esse pão mole. Minha torradeira só queima nas beiradas. E essa geleia deve estar aqui há um ano.
— Acontece que a atividade física me dá fome.
— Então tá explicado.

Pastoriza também estava com apetite, mas não conseguiu comer. Continuava angustiado, sem saber o motivo, o que o incomodava profundamente. As neuroses de ansiedade eram banais para os psicanalistas, acostumados com os relatos dos pacientes. Desconhecer suas origens é que se transformava em um problema. Por mais que entendessem o conceito de "inconsciente", tinham grande dificuldade para identificá-lo em si mesmos. Não eram senhores na própria casa, mas se recusavam a aceitar a sina que eles diagnosticavam nos outros.

Buscou uma explicação lógica. Devia haver uma razão coerente para aquela angústia. E se fosse inconsciente, ele investigaria como um profissional e a traria para a consciência. *Porra, ainda sou psicanalista*, pensou, enquanto tentava interpretar os sinais não recalcados por sua resistência. Reparou na cama desarrumada, na garrafa vazia e na pele de Nicole, cuja nudez contrastava com o pingente de diamantes que caía sobre o colo.

— Foi presente do Marcus?

— O quê?

— Esse pingente.

— Ganhei no ano passado. Passamos por uma joalheria em Ipanema e eu fiquei hipnotizada por ele. Não precisei nem pedir. Ele entrou na loja e já foi comprando. Nem perguntou o preço.

— É muito bonito. Combina contigo, embora brilhe menos.

— Obrigada.

Havia um constrangimento duplo no diálogo. Não apenas pelo elogio artificial ou pela constatação óbvia de que participavam de uma traição, mas pela desconfiança que emanava daquelas frases. Nicole percebera intenções subliminares nas perguntas de Pastoriza, que tinha a mesma opinião sobre as respostas. O ambiente erotizado das últimas vinte e quatro horas cedia lugar para o ceticismo. Uma geleira ártica se formou entre o casal.

— Há um detalhe que não consigo entender — disse Pastoriza.

— Achei que conhecesse todos os meus detalhes — respondeu Nicole, vestindo a calcinha e procurando a bermuda de ginástica.

— Estou longe disso. Não tem nem uma semana que eu te vi pela primeira vez e já estou participando de um adultério.

— O que foi? Bateu um sentimento de culpa? Você acha que é fácil pra mim? Também estou aqui contigo. Eu é que devia me sentir culpada. Sou facinha, facinha. Meu namorado sequestrado e eu fico dando por aí. Sou uma vagabunda, mesmo! É isso que você deve estar pensando. É ou não é?

A reação exacerbada também soava artificial, como se ela quisesse despistá-lo. Não era sobre isso que ele queria falar, embora tivesse iniciado o assunto.

— Calma! Só fiquei meio sem graça porque, de repente, pensei no Marcus. Durante o tempo todo em que estivemos juntos me esqueci dele completamente. Talvez você tenha razão: estou descontando o meu sentimento de culpa em você.

— E eu estou aproveitando para aliviar a minha culpa. Também esqueci que tinha um namorado. Ou melhor, tenho.

O ato falho não passou despercebido, mas Pastoriza não a interrompeu.

— A gente foi se envolvendo. Aí teve o vinho, o mar, aquele clima todo. E o professor bonitão e charmoso da faculdade. É difícil de resistir. Você é um cara sedutor, sabe disso.

Os elogios só podiam fazer parte da estratégia dela. Não se achava charmoso, muito menos bonito. Aquele discurso lembrava a personagem psicopata de um filme francês. A garota era esperta. Estava na hora de provocá-la.

— Quer dizer que eu te seduzi?

— Não vou dizer que você me seduziu. Mas eu estava carente, desamparada. Isso conta, não conta? Quando te vi na lanchonete, alguma coisa aconteceu. Não pensei em mais nada, só em você. Depois, nós andamos, fomos almoçar e conversamos a tarde inteira. Parecia que eu te conhecia há anos.

— Durante o almoço, você me falou muito sobre os teus projetos sociais, sobre a vida política do país, sobre a necessidade de dividir riqueza com os mais pobres. Lembra?

— Claro que lembro.

— Você me disse que é filiada ao partido revolucionário. Que acredita fielmente que esse país só tem salvação a partir da implantação do socialismo. Que é preciso conscientizar o povo para que os meios de produção sejam socializados. Que a burguesia decadente só pensa no acúmulo de capital. Que o proletariado deve assumir o poder pela revolução.

— Pô, você decorou tudo isso? Palavra por palavra?

— Isso é um discurso antigo, Nicole. Vem sendo repetido pela esquerda mundial há um século. O mundo mudou, o muro de Berlim caiu, mas os revolucionários de plantão ainda pregam a luta de classes.

— Você é incoerente, professor. Tá aqui me criticando, mas nos seus livros qualquer um percebe a influência de Marx. Acho que você é mais marxista do que eu.

— Não sou marxista, sou oportunista, o que é praticamente uma redundância.

— Ainda assim é incoerente.

— Eu é que sou incoerente? Leio Marx como leio Freud, como utopia. Você é que é incoerente. Prega o socialismo, mas usa um pingente de diamantes que é presente do namorado burguês, filho de um milionário explorador. Quanta contradição!

— Não é contradição! — gritou Nicole.

— Como não?

— Você não sabe nada da minha vida. Eu estou na luta. Não sou uma dondoca. Trabalho duro desde os treze anos. Batalho pelo que acredito.

— Acredita no quê? Em Marx ou no namorado burguês que te leva a restaurantes caros e compra joias?

— Você é um estúpido!

A angústia se transformara em desconfiança. Em poucos minutos, Pastoriza provocara uma mudança radical de humor na garota. Entretanto, ao contrário da maioria das pessoas, a reação dela se limitara a alguns impropérios e gritos contidos, sem qualquer rastro de violência. Uma mulher normal perderia o rumo com aquelas críticas, principalmente após uma longa noite de sexo. Ela deveria xingar, bater, arranhar, cuspir, quebrar. Precisava extravasar a raiva, não contê-la. Tanto autocontrole indicava a presença de traços psicopatas bem definidos. Ou seria ele o psicopata por provocá-la daquele jeito apenas para amenizar a própria angústia?

Na dúvida, ligou para o delegado Rogério assim que Nicole bateu a porta e foi embora. Uma psicopata poderia muito bem ser a autora do sequestro.

* * *

Jurema chegou à clínica universitária às seis e meia da manhã, antes de todos os funcionários. *Será uma segunda-feira complicada*, pensou, ao girar a chave para abrir a sala de supervisão. Em apenas uma semana, dois integrantes de sua equipe haviam se envolvido em tragédias. Primeiro, o sequestro de Marcus. Depois, o assassinato de Karen. Impossível permanecer com o grupo. Não havia a menor condição para que os outros alunos continuassem atendendo os pacientes. Na melhor das hipóteses, eles seriam os pacientes.

A reunião das sete tinha o objetivo de planejar a transferência dos clientes para outras equipes. Raquel foi a primeira a chegar.

— Esqueceu de mim, professora?

— Não, claro que não.
— Fiquei te esperando na portaria.
— Ai. Desculpe: a carona. Esqueci da carona. Foi mal.
— Pois é. Você passou em frente ao meu prédio e nem me viu. Achei que voltaria, mas, depois de uns dez minutos, peguei um táxi.
— Me perdoa, Raquel. Estou atordoada, não consigo pensar direito. Essa história da Karen me deixou arrasada.
— Também não tô legal. Passei a noite em claro. Nunca imaginei que o nosso grupo passaria por isso.
— Vou desfazer o grupo. Não dá pra continuar assim. Do jeito que está, nós é que precisamos de ajuda.
— Você não pode fazer isso, Jurema. E os nossos clientes?
— Vou transferi-los para outros alunos, de outras equipes.
— Mas eles são nossos. Nossos, de mais ninguém.

Nicole entrou na sala de supervisão a tempo de ouvir as últimas frases da conversa. Apesar do ódio por Raquel, concordava com ela. Tinha apenas um casal em atendimento, mas não estava disposta a abrir mão dele.

— Todas nós estamos abaladas, Jurema. Mas somos profissionais. Temos que continuar atendendo.
— Vocês ainda não são profissionais. Eu é que sou. A responsabilidade é minha — disse a supervisora.

A campainha tocou. Nicole estava preocupada com a possibilidade de encontrar o diretor da faculdade, já que não saberia como se comportar. Ficou tensa, ruborizada, estática. Só respirou quando a secretária da clínica apareceu no corredor para entregar um bilhete à professora. Não era Pastoriza.

— Vamos ter que acelerar a nossa conversa. Tenho uma reunião no departamento daqui a pouco. Antes de tomar qualquer decisão quero ouvir como está o andamento dos casos de cada uma. A Samantha ainda não apareceu e nem sei se ela vem. Então, vamos tentar nos concentrar na gente. Você primeiro, Raquel. Como estão os seus casos?

Durante uma hora, a aluna favorita de Jurema detalhou o pífio progresso de seus pacientes. Não havia qualquer novidade para contar, já que tinham conversado sobre o tema na sexta-feira. Mesmo assim, ela fez o relato de forma prolixa, sem qualquer traço de objetividade. Seu problema maior ainda era com o casal do feijão derramado, cuja separação era iminente, embora a esposa não aceitasse. O medo de Raquel era que ela tentasse alguma vingança radical contra o marido, quem sabe até um assassinato. Por isso, insistia na continuação do tratamento como única forma de evitar o pior. E só ela poderia se encarregar da tarefa.

Já Nicole precisou de apenas cinco minutos para falar do casal que ainda atendia, também insistindo que o caso era grave, não suportaria mudanças radicais no tratamento.

— Qual é mesmo o nome? — perguntou a supervisora.

— De quem? — O rosto de Nicole empalideceu, a voz saiu fraca, hesitante.

— Do casal. Se liga! Tá dormindo? Nós estamos falando do casal que você atende, não é isso?

— Claro. Desculpe. O nome dele é Carlos e o dela, Olga. Mas a esposa só o chama de Carlinho.

— Qual é a queixa principal?

— Não sei mais. Quer dizer, não tenho certeza. Eles já passaram por tanta coisa! Brigas, falta de sexo, divisão do apartamento, falsas promessas, uma porção de conflitos. No começo, eu achava que era falta de comunicação, agora acho que o problema é dela. A Olga me parece perdida, sem rumo. As reclamações fazem todo o sentido, mas eu começo a perceber uma certa dúvida na maneira como ela reclama. O discurso é obsessivo, ríspido, ela quase não respira. Não sei quem é essa moça.

— Como não sabe?

— Não a reconheço mais. Parece outra pessoa. Não é a mesma das primeiras sessões. Muda de opinião, muda de humor. Já nem sabe se o namorado é um crápula ou um herói. Não sei nem se gosta mesmo do cara. Ela se tornou inconstante demais. Fico angustiada só de pensar.

— Cuidado, Nicole. Você está se envolvendo muito. Mantenha a distância. Use o método tradicional, sem invenções. Você tem que medir o nível de inconstância, tentar quantificar a incerteza dela para poder aplicar o tratamento mais adequado. Encare o caso com rigor científico. Não se aproxime muito.

— Que rigor científico é esse, Jurema?

— É tudo aquilo que foi ensinado na aula de psicodiagnóstico. O que você tem que fazer é aplicar os testes psicológicos. Use os desenhos, os questionários, os joguinhos. Há uma série de instrumentos para medir o problema dela.

— Mas eu não acredito nesses testes. O problema da Olga está na narrativa, na incapacidade da linguagem para expressar o que ela sente. É como na literatura: as palavras não têm o mesmo significado para leitores e escritores, o que causa uma esquizofrenia desgraçada. No final, ninguém se entende.

— Pare com esse negócio de literatura! Você não está mais no curso de Letras. Isso aqui é psicologia, Nicole. Além disso, não dá para focar só na mulher. Lembre-se de que você atende o casal. Mude o foco, concentre-se na outra parte. Diga: qual é a reação do marido diante disso?

— Ele não fala, não reage.

— Mas você não o estimula? Não faz perguntas diretamente a ele?

— Faço, mas não adianta. O Carlinho, quer dizer, o Carlos é muito passivo e completamente submisso à namorada.

— Então tem que dar um jeito de mudar isso. Tem que ouvir o cara.

O caso parecia grave mesmo. Apesar da hesitação metodológica da aluna, Jurema achou melhor mantê-la à frente do atendimento. Para não ser injusta, também permitiu que Raquel continuasse com um casal. Os demais pacientes, inclusive os de Samantha, que não apareceu na faculdade, seriam encaminhados para as outras equipes da clínica universitária.

A reunião foi encerrada às oito e meia. Quando Raquel e Nicole saíram da sala, havia um homem alto e bonito esperando por Jurema. Ele vestia uma calça jeans desbotada e uma camiseta apertada no braço, deixando os músculos à mostra. As maçãs do rosto eram salientes, a barba estava por fazer e os olhos negros encaravam as alunas com voracidade.

* * *

A sala da reitoria não era luxuosa. Tinha apenas um sofá de couro, uma mesinha de centro, a escrivaninha e três cadeiras velhas, além do computador e de uma estante de madeira. Na Universidade Anglicana, devia prevalecer a austeridade, a imagem sóbria de uma instituição confessional cujo caráter religioso lhe garantia regalias tributárias. Os impostos que não chegavam aos cofres da Receita Federal só podiam ser investidos na melhoria do ensino e na pesquisa, jamais no conforto dos dirigentes. Era o que garantia o Magnífico Reitor.

As isenções fiscais também provinham do certificado de filantropia, praticamente dobrando as renúncias de tributos nos três âmbitos de governo. E ainda havia os doadores oficiais, que tinham o direito de abater os valores doados no imposto de renda da pessoa física. O principal deles era Arlindo, pai de Marcus.

O reitor o recebeu às oito da manhã. Era a primeira audiência da segunda-feira, geralmente reservada para encontros com os demais pastores da igreja. Mas abriria uma exceção para o benemérito. Afinal, a principal missão de todos ali era cuidar do rebanho, em especial das ovelhas de lã abundante, cujos problemas deviam ser tratados como prioridade. Do contrário, não haveria abrigo para todos durante os dias frios de inverno.

— Bom-dia, Dr. Arlindo. Sinto muito que nosso encontro seja em momento tão doloroso para o senhor.

— Muito doloroso, meu reitor. Mas sua presença me conforta.

— O Senhor meu Deus o abençoe, meu filho. E abençoe também o jovem Marcus, que está nas mãos Dele.

— Amém.

— O Senhor protegerá seu filho e o trará de volta.

— Amém.

— Porque Dele é toda graça e todo poder.

— Amém.

— E com Ele deixamos nossas angústias e nossas mágoas.

— Amém.

— Pois tudo posso Naquele que me fortalece.

— Amém.

— Vamos orar.

De pé, juntaram as mãos, abaixaram a cabeça e sussurraram uma prece. Em seguida, olharam para cima, abriram os braços e permaneceram em silêncio durante um minuto. Ambos mordiam os lábios, franziam a testa e balbuciavam sílabas incompreensíveis, como se usassem uma linguagem cifrada, um código específico que só podia ser entendido pelo interlocutor localizado no teto do gabinete.

A oração foi interrompida pelo reitor, que o convidou para sentar na cadeira voltada para a mesinha de centro.

— Agora estamos em paz. O Senhor nos acompanha e guia nossos passos.

— Que assim seja.

— Dr. Arlindo, em que mais posso ajudá-lo?

— O assunto é muito delicado, meu reitor.

— Não há segredos entre nós. Diga o que o aflige.

— Temos que conversar. Preciso que o senhor colabore pessoalmente para salvar a vida de meu filho.

— De que maneira, Dr. Arlindo?

— Preciso que aceite a decisão que tomei e me ajude a convencer alguns amigos nossos de que essa é a única chance do menino.

— Por favor, explique. Não estou entendendo.

— Ontem, recebi um novo pedido de resgate. Os bandidos querem um milhão de reais.

— Mas isso não é problema para você. Sua fortuna é gigantesca.

— Eles não querem apenas dinheiro, reitor. Querem uma confissão pública de meus pecados. Querem que eu conte tudo que fiz. Está entendendo agora?

— Não, ainda não.

— Não se faça de desentendido, por favor. A maior parte dos meus pecados foi dividida com o senhor. Somos sócios. Você leva metade das doações que eu faço para a universidade, lembra?

— Isso é apenas um dízimo pelo meu trabalho, Dr. Arlindo.

— Um dízimo que o fez milionário e me ajudou a lavar muito dinheiro. O que fizemos é crime federal, meu reitor.

— Não aos olhos de Deus.

— Não estou preocupado com os olhos de Deus. O que me preocupa são os olhos dos bandidos. Eles sabem de tudo e exigem que eu vá aos jornais para confessar cada uma das falcatruas. Vim aqui apenas para dizer que farei o que pedem. Contarei sobre o senhor e sobre os outros empresários que participam do esquema. Vou salvar meu filho. Não importa o preço que tenha de pagar.

— Se fizer isso, será expulso desta igreja e execrado por toda a nossa comunidade. Deus não perdoará suas ofensas.

— Deus terá que esperar.

— Mas os nossos amigos não serão tão pacientes.

— Isso agora é problema deles. E seu.

— Não, Dr. Arlindo. Agora, esse é o maior dos seus problemas. O Senhor Deus descerá seu cajado sobre você! As pestes do Egito cairão sobre sua cabeça! As nuvens de Canaã vão cobrir seus olhos! Saia de minha sala, maldito!

* * *

Pastoriza tentara falar com Rogério durante a tarde inteira de domingo, sem sucesso. Estava ansioso para contar suas suspeitas sobre Nicole e relatar os sintomas psicopatas que identificava nela. Mas teve que esperar até o dia seguinte, quando o próprio delegado telefonou para ele.

— Alô.
— Fala, Antonio.
— E aí, Lobão?! Ainda bem que você ligou, meu camarada. Tô precisando muito falar contigo. Te liguei o dia todo ontem.
— Não deu pra te atender. O dia foi complicado.
— O que houve? Novidades?
— Muitas, meu amigo. Vem aqui pra delegacia que a gente precisa conversar. Os sequestradores fizeram contato ontem.
— Foi pela internet?
— Foi — respondeu o delegado.
— Então, o e-mail não partiu da universidade. O campus fica fechado aos domingos. A tua equipe fez o rastreamento?
— Fez. O e-mail partiu de um computador pessoal. E você nem imagina de quem é esse computador!
— Homem ou mulher?
— Homem. E você o conhece.
— Não pode ser!
— Não pode ser o quê?
— Eu tinha outro suspeito. Ou melhor, outra suspeita.

20. Sanidade

O flagrante foi vexaminoso. Na época, Raquel estava começando o quinto período da faculdade, mas já seguia o casal desde o período anterior, alguns meses antes. A obsessão tinha requintes de filme de espionagem, embora a aprendiz de espiã não tivesse qualquer talento para o ofício. Comprara binóculos, máquina fotográfica com teleobjetiva e outros aparelhos que estouraram o limite do cheque especial e fizeram a mãe dela perder o cartão de crédito. Valia qualquer coisa para conhecer os detalhes mais íntimos do cotidiano de Marcus e Nicole. Esquecera apenas de tomar as precauções necessárias para não ser descoberta.

Ainda não se conformara com o apoio da família ao namoro com a secretária e decidira investigar sua vida. Com a ajuda de uma empregada da mansão que a conhecia desde a infância, planejara invadir a casa de Nicole para encontrar qualquer indício que justificasse a aceitação do namoro. A garota devia estar fazendo alguma chantagem com Arlindo. Só podia ser isso. Precisava acreditar nisso.

No dia marcado, enquanto o casal almoçava na mansão, a tal empregada tirou a chave da bolsa de Nicole e a entregou a Raquel, que seguiu confiante para sua missão de espionagem.

Pretendia copiar arquivos do computador, roubar documentos, fuçar os armários, coisas do gênero. Não sabia muito além do que vira nos filmes de James Bond, mas estava determinada. Ao entrar no apartamento, um policial já a esperava, escondido no quarto. Quando ela começou a mexer nas gavetas, foi presa em flagrante. Por motivos que jamais soube com exatidão, provavelmente financeiros, fora traída pela velha conhecida, que havia contado seus planos para a namorada do filho do patrão. Tudo estava arranjado para que fosse humilhada publicamente. Havia fotógrafos, colegas da faculdade e até um repórter do jornal universitário na delegacia. Durante uma semana, esse foi o assunto principal dos estudantes.

Passou a noite na cadeia, entre cafetinas, ladras e traficantes. Os policiais providenciaram para que ficasse na cela mais escura, no final da carceragem. Tudo fora detalhadamente planejado por Nicole, até a cena de perdão na manhã seguinte, quando se apresentou ao delegado para retirar a queixa. No depoimento, disse que emprestara o apartamento para um amigo, que por acaso era detetive, e se esquecera de avisar que também deixara a chave com a "colega de faculdade". Uma farsa devidamente referendada por Raquel, que não tinha outra opção.

Na saída do distrito, Nicole apontou-lhe o dedo na cara:

— Olha aqui, sua vagabunda: nunca mais mexa comigo. Na próxima, não vou brincar. Meu amigo ali dentro mete uma bala na tua cabeça, entendeu? Esquece o garoto. Esquece a família dele. E me esquece também. Não vou falar duas vezes.

Marcus esperava pela namorada no carro. Não tinha a menor ideia de que o episódio todo era uma obra de ficção. Achava que Raquel estava doente e até se emocionara com a atitude compreensiva de Nicole, que a havia perdoado. Quando a ex-namorada se aproximou, ele foi gentil e carinhoso, como nos tempos da adolescência.

— Não se preocupe, branquinha — chamou-a pelo apelido de infância. — Isso vai passar. Você é boa, eu te conheço. Se precisar de mim, é só dizer.

Os planos de vingança contra a família acabaram ali. Raquel não tinha ânimo para pensar em nenhum projeto, nem mesmo nos que eram movidos pelo ódio, pois não sabia mais identificá-los. Sentia-se uma perdedora, a tradução mais fiel do fracasso. Não havia desgraça pior do que não ser capaz de odiar. Aquilo era a ruína completa, o desterro, a sombra. Só não desistiu da universidade porque Jurema a conduziu pessoalmente pelas disciplinas, estudando com ela e pedindo a ajuda dos outros professores, que colaboraram sem muito entusiasmo, pois não gostavam da garota.

Nos semestres seguintes, os colegas continuaram com os rituais de humilhação, mas ela já não se importava. Parecia conformada, inerte, intocável. Estranhamente, tampouco nutria qualquer rancor pela rival, cuja fama de pedante começava a aparecer na faculdade. Cruzava com ela pelos corredores, dividia matérias e, eventualmente, até trocava algumas palavras burocráticas. Poderia, inclusive, ter vetado o nome dela na equipe clínica de Jurema, mas se absteve de opinar. Não por medo, mas por completa inapetência. Nicole era página virada.

E Marcus também seria, se não tivesse telefonado naquele domingo, algum tempo depois do incidente.

* * *

Qual era a diferença entre o normal e o patológico? Onde estava a fronteira que separa a loucura da sanidade? Quem poderia distinguir a saúde da doença? Ao contrário do senso comum, a psicologia não trabalhava com essas dicotomias. Os termos não eram opostos, não se contradiziam, não estabeleciam uma divisão clara, diametralmente inversa. Na verdade, estavam conectados.

Desde o século XIX, os terapeutas tratavam os fenômenos patológicos como idênticos aos fenômenos normais correspondentes, salvo pelas variações de quantidade. Bastava ver os nomes das principais doenças, cujos prefixos eram quantitativos, como *hipo* ou *hiper*, e se referiam a suas relações com a saúde. Dessa forma, as pessoas hipertensas ou hipotensas, por exemplo, eram conhecidas a partir das variações sobre a pressão normal. O mesmo valia para os hiperativos, os hipertenazes, os hipertônicos, os hipocondríacos, os hipoglicêmicos, e, principalmente, os hipócritas.

O professor Bibiano, um crítico conhecido da hipocrisia terapêutica, era leitor assíduo de autores como Foucault e Canguilhem, para quem a doença não era desequilíbrio ou desarmonia, mas apenas o esforço que a natureza exerce no homem para obter um novo equilíbrio, uma nova harmonia. Portanto, para ser normal era preciso passar pela anormalidade. E cabia ao terapeuta reforçar as atitudes consideradas insanas para que o paciente chegasse à sanidade.

Assim encarava o casamento com Jurema. O que para os outros poderia ser considerado loucura, para eles era a simples tentativa de reequilibrar a relação. Os clubes de *swing*, os casos extraconjugais, as aventuras perigosas e até a violência física reforçavam esse compromisso. Havia naquelas atitudes a perene busca pela reinvenção dos próprios sentimentos.

Para Bibiano, a esposa tinha a fina habilidade de perceber seus desejos mais secretos. Jurema era sagaz, dedicada, atenta. Conjugava a personalidade egocêntrica, capaz de submetê-lo a humilhações públicas, com a doçura juvenil de quem se levantava de madrugada apenas para saber se o marido havia tomado o remédio para a gastrite. Jurema era intensa e calma. Rude e meiga. Tímida e extrovertida. Suave e grosseira.

Jurema era perfeita.

Não sabia o que o levara a prometer a separação para uma de suas amantes. Logo para a mais jovem, Virgínia, que ainda não chegara aos vinte anos de idade. Devia estar com o cérebro atrofiado quando fez a promessa para a aluna. Não tinha a menor intenção de largar a mulher. Em nenhuma hipótese conseguia se ver longe dela.

Mesmo assim, não concordara com as denúncias feitas na delegacia. Virgínia não poderia pagar pelo erro que era dele. Não fora a responsável pela cicatriz em seu rosto e, mesmo que fosse, jamais a denunciaria.

— Quero falar com o delegado.

— Qual é a queixa? — perguntou o policial de plantão.

— Na verdade, eu vim retirar uma queixa — respondeu Bibiano.

* * *

Pastoriza pensava de outra forma. Era leitor de Adam Philips e Kalu Singh. Achava que a loucura fora excessivamente glamourizada ao longo da história, deixando para a sanidade um lugar de mediocridade, quase uma ofensa pessoal. O sujeito considerado normal carregava uma série de estigmas, que iam da falta de criatividade à ausência de qualquer talento. A normalidade se tornara sinônimo de falta de complexidade, e isso era o mesmo que ser medíocre.

Não era normal ser normal. A única inspiração estava na insanidade, todo o resto era irrelevante. Bastava recorrer à literatura para perceber que os melhores personagens fugiam da normalidade. Em *Hamlet*, por exemplo, a palavra loucura e seus derivados apareciam trinta e cinco vezes, enquanto o inverso surgia apenas uma vez, na boca do personagem Polônio, cujas características não eram propriamente brilhantes. O protagonista "louco" tinha todos os méritos, pois era esse adjetivo que garantia sua fértil imaginação. Dessa forma, suas falas pareciam ricas, cheias de múltiplos significados, enquanto as de Polônio se limitavam a pobres indagações sobre o príncipe e, obviamente, a reconhecer o quanto ele era inventivo e genial.

Os personagens sadios sempre careciam de dramaticidade. Eram insípidos, banais, fadados a serem esquecidos pelo leitor. Já os loucos falavam de uma maneira que não compreendíamos e isso nos fazia pensar que sabiam de coisas que nós não sabíamos. Por isso, eram tão admirados. Para Pastoriza, as atitudes de Nicole se encaixavam perfeitamente nesse molde, como se ela, uma estudiosa da literatura, quisesse encarnar um grande personagem. E para ser grande só podia ser louco.

Pretendia defender essa tese para explicar suas desconfianças ao delegado Rogério. Mas, logo que chegou à sede da Divisão Antissequestro, foi contrariado pelas novas evidências do caso.

— Já sabemos quem são os sequestradores, Antonio.
— Como já sabem, Lobão?

— Não me chama pelo apelido aqui! Não hoje! O Secretário de Segurança está vindo pra cá. Acho que vamos resolver tudo esta noite. Temos provas.

— OK. Eu te chamo de Rogério. Mas me diz que provas são essas.

— Lembra que eu te falei do e-mail de ontem com o pedido de resgate?

— Lembro. Você me disse que o autor era um homem e que eu o conhecia.

— Isso mesmo.

— Quem é, então?

Rogério não respondeu imediatamente. Queria ver a ansiedade exposta na fisionomia do amigo. Já não desconfiava dele, mas os delegados eram céticos por ofício, precisavam de todas as provas possíveis. Se Pastoriza realmente desconhecia a informação, a dúvida surgiria nos olhos, na sobrancelha elevada, na típica impaciência dos curiosos.

— Cacete, Rogério! Fala logo. Vou ter que ficar esperando em pé?

— Calma. Senta aí. Eu vou te contar.

— Então conta — disse Pastoriza, puxando a cadeira.

— O e-mail de ontem pedia um resgate de um milhão de reais e uma espécie de confissão do Dr. Arlindo, que não sabemos bem o que é. Nós rastreamos e descobrimos que ele partiu do consultório do professor Bibiano, lá da tua faculdade.

— Não acredito!

— Acredite, meu amigo. E, se você quer saber, o sujeito ainda teve a coragem de ir à décima sexta DP hoje para retirar a queixa contra aquela aluna. Todas as peças se encaixam. Não existe coincidência dupla, muito menos tripla, que é o caso dele.

— Tripla? Não entendi.
— Temos três evidências contra o cara. O primeiro e-mail veio da universidade e o segundo do consultório dele, o que já é muita coincidência. Mas ainda há um terceiro elemento.
— Qual?
— Você sabe qual é. Não tá lembrado?
— Não. Não sei. Quer dizer... Desembucha aí, Rogério!
— A receita, Antonio. A porra da receita que nós encontramos no carro do Marcus foi comprada pela mulher do Bibiano, a Jurema. Tá vendo como as peças se encaixam?
— Mas o que a receita tem a ver com o sequestro? E por que ela escreveu o meu nome nela?
— Isso a gente ainda não sabe, mas vamos descobrir. O plano é prender os dois hoje à noite. Mas só vamos fazer isso se um deles nos levar ao cativeiro. São ordens do Secretário de Segurança. Não queremos botar a vida do garoto em risco.
— O assassinato da Karen tem alguma coisa a ver com o caso? Eu suspeitava dela, lembra?
— Achamos que não tem nada a ver. Só não mandei investigá-la quando você me falou sobre as suspeitas porque já estávamos fazendo isso. Sabíamos que ela era namorada do chefe do tráfico e vendia drogas na universidade. Estava sendo seguida porque queríamos chegar ao cara, mas não sabemos quem a matou. Sobre o sequestro, nenhuma ligação. Como eu te disse, tudo leva ao Bibiano e à Jurema.

Pastoriza ainda não estava convencido, mas não quis discutir com Rogério. A história parecia perfeita demais, sem furos, como se fosse plantada por alguém. Um tipo de armação que poderia ser perfeitamente arquitetada por uma psicopata. O problema era que aqueles pensamentos começavam a perturbá-lo. Por que a imagem de Nicole não saía de sua cabeça? Tinha motivos realmente concretos para acreditar que ela era psicopata ou estava apenas fugindo daquela imagem? Pior ainda: estaria fugindo dela? Por quê? E se estivesse paranoico? As desconfianças podiam ser apenas uma estratégia para recalcar algum sentimento indesejável, algo que não queria enfrentar, não queria ver, não queria sequer imaginar.

Precisava de um psiquiatra.

* * *

A água jogada no rosto não a despertou. Tampouco a voz que repetia seu nome conseguiu trazê-la à consciência. A cabeça se movia para os lados, cambaleante, sem resposta. Os lábios estavam secos e havia placas de sangue coagulado no cabelo. Foi preciso desferir pequenos golpes com a palma da mão para que abrisse os olhos, mas não havia muito para ver.

Estava em um barraco de alvenaria. Tábuas de madeira vagabunda pregadas na janela impediam a passagem da luz. Uma pequena lâmpada no teto iluminava o cômodo que, além do colchão sobre o qual dormia, também tinha uma cadeira, pedaços de papelão espalhados pelo piso, uma garrafa pet com água suja e dois pratos vazios. A porta de ferro indicava a passagem para o compartimento ao lado, de onde se ouviam vozes esparsas e a música em alto volume de uma rádio pirata.

— Acorda, Samantha! Acorda!

A fisionomia era conhecida. A visão ainda estava turva, mas podia reconhecer os traços finos e as indefectíveis sobrancelhas na posição descendente, embora a barba por fazer escondesse as bochechas rosadas. Só tinha dificuldade para entender a situação.

— É você, Marcus?
— Calma. Fala baixo. Você não tá legal.

Samantha levou a mão à nuca e sentiu o corte já fechado. A dor continuava intensa, mas o que a incomodava mesmo era o cabelo lambuzado de sangue. Ainda vestia a roupa da festa. O tecido estava lanhado. Havia manchas escuras perto do ombro. Nem sinal do escarpin dourado que comprara no shopping.

— Qual é a parada, hein? Onde é que eu tô? Cadê meu sapato?
— Estamos na favela. E pode usar os meus chinelos.
— Não tô entendendo.
— Você tá aqui desde a madrugada passada. Dormiu um dia inteiro. Achei que fosse morrer.
— Eu enchi os cornos de pó na festa do Diguinho. E ainda misturei com vodca.
— Mas o que te derrubou foi essa porrada na cabeça. O corte tá feio. O que aconteceu nessa festa?
— Puta que o pariu!

Após uma semana de cativeiro, Marcus não tinha mais esperanças de sair com vida. Sabia que os últimos sequestros no Rio haviam sido resolvidos em poucas horas, no máximo em alguns dias. Se ainda estava ali era porque não tinham a intenção de soltá-lo. Provavelmente perceberam que ele reconhecera o trajeto até a Rocinha e também seria capaz de identificar os garotos que executaram a ação na entrada da universidade. Mesmo assim, tomava o cuidado de sempre olhar para baixo quando os carcereiros entravam no quarto para deixar comida ou trocar o penico. A única exceção fora na chegada de Samantha, quando teve uma visão frontal dos traficantes que a trouxeram enrolada em um lençol. Era sua sentença de morte. Levaria dois tiros e seria enterrado como indigente ou queimado entre pneus velhos.

Além disso, não fazia sentido sequestrar dois alunos da mesma faculdade, apesar de o pai dela ser tão rico quanto o dele. Seria muito arriscado colocar duas pessoas que se conhecem no mesmo cativeiro, principalmente em um lugar tão próximo da casa deles. Durante o tempo em que Samantha permaneceu inconsciente, tentou em vão encontrar alguma explicação lógica. Aquele palavrão poderia ser a resposta.

— Puta que o pariu o quê, Samantha?
— Nós estamos fodidos. Vamos morrer nesse inferno.
— Devagar. Fala devagar.
— Eles passaram a Karen. Tá entendendo, Marcus? Eles passaram a Karen!
— O quê?
— Eu vi. Foi lá na festa. O soldado do tráfico que tomava conta do pó meteu uma faca nela. Eu vi, porra! Tava doidona, mas lembro de tudo. A chapa tá quente, Marcus! A gente vai morrer!
— Calma. Se eles quisessem te matar, você não estaria aqui.
— É isso que eu não entendo. Por que o cara me trouxe pra cá? Por que ele não me passou também? — perguntou Samantha, ainda tonta, batendo o queixo e os dedos do pé.

Marcus tentou acalmá-la, apesar de estar tão apavorado quanto ela. Precisava aproveitar aqueles momentos de relativa lucidez para esclarecer outros pontos.

— Fala a verdade: foi a Karen que planejou o meu sequestro?
— Claro que não! Qual é? A garota tá morta.
— Mas ela era mulher do chefe do tráfico, porra! E eu tô aqui na favela dele.

— Eu levei um papo com a Karen. Ela me disse que não tinha nada a ver com isso. Tava limpinha. A única parada sinistra foi a da tua foto.

— Que foto?

— Tu deu o mole de tacar uns amassos numa paciente lá na sala de espelhos da clínica. A Karen tirou umas fotos e mandou pra Raquel.

— Filha da puta! Pra que isso?

— A Karen tava a fim de dar um susto na perua. Ninguém vai com a cara dela. Tu sabe, não sabe?

— Mas tinha que me foder também?

— Foi uma parada dela. Mas por que tu foi dar esse mole?

— Sou um babaca mesmo! O pior é que eu sabia disso. Não podia fazer essa merda.

— Sabia da foto?

— Da foto, não. Mas eu sabia que faziam sacanagem naquela sala. E ainda filmavam tudo. Tinha um esquema da Jurema lá dentro.

— Jurema? A supervisora?

— A supervisora da clínica, ela mesma.

— Dá o papo, Marcus. Que história é essa?

— A Jurema atendia homens viciados em sexo, aqueles que têm uma compulsão incontrolável e não conseguem ficar um dia sem trepar. Os caras saem por aí azarando todo mundo, no meio da rua, no trabalho, no botequim. Se não conseguem, pagam. Mas não ficam sem a sacanagem diária. A promessa era de tratamento, mas ela se aproveitava da fraqueza e dava pra eles no meio da consulta. Tudo era gravado por uma câmera escondida atrás do espelho da sala.

— E o que ela fazia com as fitas?

— No começo, ficavam só pra ela e pro Bibiano. Acho que os dois curtem essas paradas. Mas depois ela começou a fazer chantagem pra devolver as fitas. Tava ganhando uma grana com isso. Esses caras são casados, têm família. Fazem tudo na encolha. Por isso, buscavam tratamento.

— Mas eu pensei que a clínica universitária só atendesse gente dura, sem grana.

— Aí é que tá o grande esquema. O primeiro atendimento era sempre no consultório particular, lá em Copa, onde ela cobra trezentos reais a hora. A partir da segunda sessão, ela marcava com os pacientes na universidade porque sabia que não ia dar merda, que ninguém ia questionar o trabalho dela. Bastava dizer que tava em reunião com os alunos. Quem é que iria conferir? Aquela clínica é uma zona mesmo! Você entra e sai tranquilamente, sem problema. E as gravações eram no final da tarde, quando o lugar fica deserto. A Jurema só levou homem rico pra lá.

— Porra, Marcus! Até esqueci da dor de cabeça. Tô boba com essa história.

— Eu também fiquei.

— A gente vai morrer aqui nessa favela e aquela maluca vai continuar livre por aí, só fazendo sacanagem. E se ela for a...

Um garoto abriu a porta de ferro. Era magro, imberbe, tinha a cara cheia de espinhas e não passava de um metro e meio de altura. Atrás dele, dois homens fortes, com fuzis pendurados no ombro, escoltavam o chefe do tráfico, que entrou no cativeiro segurando um jornal popular.

— Já viu a foto da tua amiga? — perguntou para Samantha.

— Não quero ver — respondeu.

— Olha pra essa porra! — gritou o dono do morro, segurando-a pelo cabelo.

— Qual foi? O que eu te fiz?

— O que tu me fez? Tá achando que eu sou comédia? Sou comédia, não! Sou vagabundo, porra! Vou encher teus cornos de azeitona, vadia!

— Eu não fiz nada!

— Não fez é o caralho! A Karen tava me roubando e tu sabia. Já passamo ela, agora é a tua vez. Tu só ficou viva até agora pra me dizer onde tá a grana. Dá o papo, aí!

— Eu não sei! Eu juro! Nem sabia que ela tava te roubando!

— Sabe, sim. Tu é vacilona. Mas chegou tua hora. É o terror, piranha! Neguinho tá com o dedo coçando aqui no morro. Num vai falar, não? Então, nós vamo acabar com a tua marra. Ô de menor! — chamou o adolescente que abrira a porta.

— Fala, patrão.

— Leva essa puta lá pra fora e bota no saco. Se ela não der o papo da grana, senta o dedo. Depois joga no micro-ondas.

— Já é, patrão.

— E tu, playboy, é o seguinte: se não pagarem o teu resgate até amanhã, vai pra vala também.

21. Desejo

Desejar é um verbo intransitivo. O desejo é autônomo, autossuficiente, independe do objeto desejado. Não que o objeto não seja importante, mas ele é apenas secundário diante da pulsão, que nunca se satisfaz. Para toda demanda explícita existe uma outra, implícita, que é inalcançável, pois sempre se renova. Por isso, nunca estamos satisfeitos. O carro do ano só vale se for o carro do ano que vem. Para um milionário, o importante é o milhão seguinte. Quem compra o primeiro apartamento, logo quer reformá-lo ou se mudar para um bairro melhor. A satisfação está no que falta, não no que existe. Portanto, a busca é eterna, não se realiza.

O mesmo acontece com os casais. O desejo investe no vazio, naquilo que não temos. Um marido rico, bonito e fiel deve ter a unha encravada. E não adianta ir à manicure, pois a cutícula sempre ficará à mostra. A mulher boa é a da rua, pois não está na casa. E se estiver na casa será chamada de mulher da rua e substituída. É o que Lacan chamava de "objeto A", algo que só é devidamente valorizado quando está ausente. Ou seja, aquilo que só percebo quando perco porque, depois de perdido, ele se torna perfeito.

Pastoriza não precisava da teoria para entender essa lógica. Sabia que um amor perdido era perfeito exatamente porque era perdido, pois a impossibilidade de tê-lo de volta tornava o desejo insaciável e essa era a única forma de permanecer desejando.

Dez anos antes, durante seu primeiro casamento, experimentara uma angústia muito próxima à que estava vivendo. O mesmo formato, as mesmas cores, o mesmo sujeito paranoico que procurava defeitos improváveis, que reclamava dos atrasos, que não a acompanhava ao médico, que esquecia dos aniversários, que ignorava o novo corte de cabelo, que não fingia gostar da sogra, que virava pro lado quando ela queria cumplicidade. Uma compulsão para o erro, a necessidade perene de sabotá-la nos pequenos detalhes cotidianos: nos aromas, nas decisões, no pensamento, nos planos, no café com bolo pela manhã. Ou seja, exclusivamente naquilo que realmente importava. Atitudes que ficaram bem claras quando ela arrumou as malas e foi embora, deixando o desejo materializado pela falta. Tornando-a uma ausência, ele a eternizara.

A relação com Nicole só confirmava suas convicções. Era a repetição antecipada do processo, uma sabotagem preventiva. Desde o primeiro encontro, a garota o surpreendera, inspirando uma paixão precoce, quase juvenil. A carona, os joelhos ralados, os olhos verdes, o raciocínio veloz que captara sua ansiedade incontida. E depois, a caminhada na praia, a conversa no restaurante e a noite no apartamento, com direito a prorrogação no desjejum. Cada minúcia esquadrinhada reforçava o sentimento onipresente de satisfação.

Nicole era perfeita.

Então precisava de defeitos. E as desconfianças de Pastoriza eram uma forma de colocar esses defeitos. Mas, na verdade, expressavam o desejo de continuar desejando. Ao afastá-la, continuava com ela. Suspeitar de que participara do sequestro era tão absurdo quanto suspeitar de si mesmo. O próprio delegado já encerrara o caso, apontando Jurema como culpada. Mesmo assim, continuava suspeitando. Precisava daquela estratégia para satisfazer sua neurose, embora duvidasse do diagnóstico de vez em quando. E se não fosse paranoico? E se a polícia estivesse errada? E se apenas ele continuasse lúcido? A ideia de produzir um flagrante não surgiu para acabar com a dúvida. Surgiu para ficar mais próximo do que desejava. Não fazia qualquer sentido, mas não conseguiu pensar em nada melhor. Daria um flagrante em Nicole.

* * *

Na clínica universitária, a supervisora observava o tríceps do visitante explodindo por baixo da camiseta de algodão. O cabelo curto nas laterais contrastava com os fios levemente crespos que caíam sobre a testa, em ondas firmes, densas. As feições não eram finas. Nariz e boca um pouco maiores que a média, olhos negros, rugas de expressão e duas linhas ao redor dos lábios. O conjunto do rosto dava um tom másculo, que não chegava a ser bruto, mas aparentava força.

Reparou nos bolsos traseiros da calça jeans. Bunda firme, redonda. Jurema adorava bundas masculinas. Gostava não apenas da forma, mas da textura, da superfície quase rochosa das nádegas endurecidas pela testosterona. Caminhou até a porta. Sentiu a respiração forte, acelerada. Segurou no braço do homem, conduzindo-o até a cadeira de espaldar alto no canto da sala.

— Sente-se, por favor.
— Obrigado, professora.
— Pode me chamar de Jurema.
— Claro. Obrigado, Jurema. A senhora é psicóloga, não é?
— Sou, mas também não precisa me chamar de senhora.
— Desculpe. Mas a senhora é a psicóloga-chefe daqui, não é?
— Você continua formal, mas tudo bem. Não sou chefe, sou a supervisora de um dos grupos de atendimento.
— Ah, entendi.
— Diga-me: em que posso ajudá-lo? Qual é o seu nome?
— Eu sou o Henrique, marido da Anabela.

A excitação se transformou em pânico. Jurema ficou pálida, mas tentou não demonstrar o nervosismo durante a continuação do diálogo. Anabela era a paciente que tinha um caso com Marcus e fora flagrada por Karen na sala de espelhos. Provavelmente, o marido estava ali para tirar satisfações com a supervisora.

— Vocês eram pacientes do Marcus, não é isso? — perguntou Jurema.

— Éramos. Quer dizer, a Anabela é que era. Eu vim apenas à primeira sessão, depois ela passou a vir sozinha.

— Por que você desistiu?

— Não acreditava muito nessa coisa de psicologia. Estava confuso. Aliás, sou meio confuso mesmo. Não gosto de gente demais ao meu lado.

Estava difícil manter a calma. Henrique se mexia violentamente na cadeira, mudando de posição a cada cinco segundos. Parecia carregar uma arma na cintura. O volume escondido pela camisa era alongado e curvilíneo como a coronha de um revólver. Jurema pensou em chamar a segurança, mas qualquer movimento abrupto poderia causar uma reação irascível. Melhor continuar com a conversa.

— Seu nome é histórico, sabia?

— O quê?

— Henrique VIII foi um rei muito importante. Fundou uma nova religião.

— Interessante.

Pergunta idiota, pensou. Era melhor ter ficado calada. Não sabia o que dizer, queria apenas ganhar tempo. Continuou:

— Sua mulher está bem?

— Ótima.

— Você quer marcar uma nova consulta?

— Não, professora. Na verdade, eu li nos jornais que o nosso terapeuta foi sequestrado. Meu assunto era só com ele, mas, já que não dá, acho que pode ser com a senhora mesmo.

Era a senha para o desespero. Se Henrique viera à procura de Marcus, já sabia de tudo. Ainda tinha na memória as fotos de Marcus, e Anabela transando no consultório. Um escândalo. Algo capaz de mover os piores instintos de um marido traído. Descontaria nela toda a raiva que tinha do terapeuta. Estava perdida, não conseguiria fugir daquela situação. Seria morta por culpa das sacanagens de um aluno. Não podia acreditar que depois de fazer tanta merda na vida acabaria pagando pelos pecados de outra pessoa. Não era justo.

Tentou se levantar, mas foi contida pelo homem, que a segurou com firmeza pelo pulso.

— Sente-se por favor. Só vai demorar um minuto.

Jurema não respirou. Lentamente, flexionou as pernas e encostou as costas na cadeira. Os olhos tensos, arregalados, fixaram-se nos lábios de Henrique.

— Eu só vim agradecer, professora. Depois que a Anabela começou essa terapia com o Marcus, nossa relação melhorou muito. Ela é outra mulher. Não reclama de mais nada, me trata com respeito, cuida das minhas coisas e nem liga quando eu saio pra tomar uma cachaça. Até a minha mãe passou a gostar dela. Esse garoto fez milagres. Pena que não posso agradecer pessoalmente. Fiquei chocado com o sequestro. Se eu puder ajudar em qualquer coisa, me avise. Devo meu casamento a ele.

* * *

Na gíria policial, abajur era o cerco que os detetives faziam em algum lugar, vinte e quatro horas por dia. Desde o último contato dos sequestradores, o delegado Rogério determinara que sua equipe vigiasse o apartamento de Bibiano e Jurema. Seria um abajur discreto, com apenas quatro policiais por plantão. Mas, se algum dos suspeitos saísse de casa, metade da equipe deveria segui-lo. Tinham a certeza de que chegariam ao cativeiro dessa forma.

No começo da noite, o próprio Rogério comandava o plantão. O casal estava em casa, jantando. Jurema chegara havia menos de uma hora. Nenhum telefonema, nenhuma visita, nada fora do normal. Um detetive voltou com os sanduíches comprados no bar que ficava a alguns metros do local. No recheio do pão francês, fatias generosas de carne assada e queijo, alternadas com rodelas de abacaxi.

— Quem pediu com pimenta?
— Fui eu — respondeu Rogério.
— Tá aqui, doutor. Esse é o seu.

— Obrigado. Distribui os outros pela rapaziada.
As noites quentes eram as piores para fazer o abajur. Quando estava frio, bastava entrar no carro para se proteger. Era até mais discreto. Mas, com o calor, não dava para ficar entocado. Precisavam ter mais atenção para não serem percebidos.
— O senhor acha que eles vão sair, doutor?
— Não sei. Mas vamos ficar por aqui a noite inteira pra conferir — disse Rogério, mastigando o sanduíche.
— O senhor tem tanta certeza assim de que eles são os sequestradores?
— Qual é a dúvida, detetive? Não viu que o último contato saiu do consultório do cara? E ainda tem a história da receita com a mulher dele. Quer mais do que isso? Só não invado aquele apartamento porque o Secretário de Segurança não deixa. Ele diz que quer preservar a vida do menino.
— Ele pode estar certo, doutor.
— Você está do lado de quem, detetive?
— Do seu, doutor. Do seu. Mas é que...
— É o quê?
— Nada, desculpe. Não ia falar nada.
— Fala logo, detetive. Qual é a sua opinião?
Rogério jogou metade do sanduíche no chão. Um desperdício: era o seu favorito. Sempre passava por aquele bar na volta do trabalho. Sonhava com as rodelas de abacaxi em contraste com a carne e a pimenta. Mas ficava com indigestão quando alguém o contrariava.
O celular tocou. Era Arlindo, pai de Marcus.
— Alô, doutor Rogério?
— Pode falar.
— Aqui é o Arlindo.

— Eu sei que é o senhor. O que houve?
— Acabaram de mandar outro e-mail.
— Agora? Nesse exato momento?
— Agora mesmo. Acabei de receber.
— Tem certeza de que são eles?
— Tenho. Deram a senha correta. Só que, novamente, mudaram a assinatura. Não entendo o porquê. Esses caras são perversos.
— Calma, doutor Arlindo. O e-mail foi rastreado?
— Foi.
— De onde ele partiu?
— De acordo com o rastreador, partiu da universidade há dois minutos.
— Puta que o pariu!
— O que disse, delegado?
— Nada. Desculpe. Por favor, repasse o e-mail para mim. Vou acessá-lo no meu celular. Já entro em contato com o senhor.

Assim que desligou, Rogério deu um chute no pneu do carro, emputecido. O detetive que o acompanhava olhou para os lados e disfarçou o constrangimento. Mas não se livrou de encarar o chefe.

— O que você ia dizer, detetive?
— Deixa pra lá.
— Fala, porra!
— Eu ia dizer que o Bibiano e a Jurema não são os únicos suspeitos.

O e-mail que acabara de visualizar confirmava as palavras do detetive. Ou o casal mandara outra pessoa fazer o contato ou não tinha qualquer participação no crime.

Apertou a tecla *view*. A mensagem vinha do endereço iara-arroba-provedor:

"Dr. Arlindo,
Sou a Iara ou Clara, como o senhor quiser. Espero que já tenha o milhão que pedimos. Amanhã, às 14 horas, o senhor receberá um e-mail com instruções sobre hora e local da entrega do resgate. Também ficará sabendo quando deve ir à imprensa para confessar seus crimes e os de seus cúmplices. Se não fizer o que mandamos, nunca mais verá seu filho.

Ass.: Rosa."

22. Dor

A dor organiza o corpo. A reação àquilo que dói é estabilizadora, fornece limites, determina fronteiras, permite a recomposição. A dor da fome orienta a busca pelo alimento. Uma pequena dor na garganta dá sinais sobre infecções. A dor nas pernas mostra o cansaço. Toda nevralgia é premonitória. Esse é seu objetivo.

Ao mesmo tempo, a dor é sempre percebida como externa. Se o estômago dói, a culpa é do alimento gorduroso. Se me queixo de um músculo, a culpa é da ginástica. Se a enxaqueca aparece, a culpa é da vizinha chata que deixou o som no volume mais alto. Mas a quem culpar pela dor da angústia?

Raquel tinha a resposta decorada: Marcus era o culpado. Não percebia que a angústia só podia ter origens internas, produzidas por ela mesma e não pelo ex-namorado, embora dependesse disso para continuar sua vingança.

Quando a ficha caiu, levou junto o projeto vingativo, mas iniciou uma nova dor, ainda mais intensa: a reelaboração da própria história.

Lembrava das leituras de Melanie Klein e Nasio, para quem o recomeço tinha uma motivação evidente: ao fazer do insuportável algo com que temos que conviver, nós começamos a viver.

Para Klein, tudo que vinha de fora seria, antes de tudo, objeto de ódio. Só depois, quando fosse internalizado, se transformaria em objeto de amor. Usava o ato de aprender como exemplo: primeiramente, odiamos aquilo que não entendemos, mas, logo que aprendemos, passamos a amar.

Com exceção do aborto, a humilhação de passar a noite na prisão fora o ponto máximo de dor que Raquel podia suportar. Mas o imponderável acontecera naquele mesmo dia, na reação de Marcus. *Não se preocupe, branquinha. Eu te conheço.* Ele a chamara pelo apelido de infância, que só eles conheciam, e ainda se mostrara solidário na frente de Nicole. Como podia odiar aquele homem?

Na semana seguinte ele telefonou. Nada demais. Apenas uma gentileza, uma conversa ingênua de menos de um minuto. *Tudo bem? Tudo, e você? Tudo indo. Tá melhor? Melhorando. Já voltou pra faculdade? Amanhã, deixei passar um pouco. Fez bem. Você acha? Acho. Que bom que você ligou. Que é isso? Eu gostei. Também gostei. Que bom. Se precisar de qualquer coisa, conta comigo. Valeu. Beijo. Beijo.*

Na terceira semana, nova ligação. E depois outra. E outra. E outra. Até que se tornaram diárias, sempre nos horários em que Nicole não estava por perto. As conversas ficaram mais demoradas. Falavam do curso, da família, da psicologia, do mundo. Só não falavam deles, mas não importava. Pois sabiam que, quando falavam do curso, da família, da psicologia, do mundo, na verdade falavam deles. Nada existia sem eles.

Aos poucos, substituíram os eufemismos e metáforas por frases mais diretas. O passado surgiu límpido no discurso. Lembraram do chocolate no jardim de infância, das corridas pela mansão, das férias na casa de praia, dos amigos da escola, das festas na adolescência, do pedido de casamento na praia. Riram. Riram muito. Gargalharam. Perderam o ar de tanto rir. Mas nunca falaram tão sério. Marcaram um encontro.

O primeiro foi na faculdade. Um dia calmo, entre dois feriados. Nicole estava viajando, assim como a maioria dos alunos. Raquel e Marcus passearam pelo campus quase vazio, observando os professores sem trabalho, os laboratórios desertos e a biblioteca em meio expediente, embora fosse um dia normal de aula. Não assistiram a nenhuma disciplina. Apenas visitaram memórias. Memórias lúdicas, porque só o prazer devia ser lembrado. Assim, fugiam da nostalgia e das inevitáveis lições que vêm com ela. Não queriam nada disso. Nada de reviver conflitos ou situações mal resolvidas. Não estavam ali para aprender. A sabedoria era uma lanterna que só servia para iluminar o caminho de trás, como dizia um poeta cujo nome haviam esquecido.

Não houve beijo no primeiro (re)encontro. Nem no segundo, nem no terceiro, nem no quarto, sem trocadilhos. Só se tornaram amantes após dois meses de encontros furtivos, como dois adolescentes. Era uma situação inédita para ambos. Não tinham o cacoete dos infiéis. Nada de cartas, telefonemas na madrugada, batom no colarinho ou ciúmes extemporâneos. O pouco tempo de que dispunham servia somente para aproveitar o pouco tempo de que dispunham. O que nem era tão pouco assim, considerando que se encontravam pelo menos duas vezes por semana.

Por que ele não terminava com a namorada e voltava pra ela? Não fizeram essa pergunta. Apenas seguiram em frente, sem compromisso, sem angústia. Tampouco haviam esquecido a dor causada pelo aborto, pela separação e por todo o resto. Não se tratava de esquecê-la, mas de reemoldurá-la e deixá-la na parede. Entendiam perfeitamente sua função: estavam mais fortes.

Durante quase um ano, os amantes pautaram suas vidas pelos encontros escondidos. Todos os compromissos, aulas, atendimentos e demais atividades cotidianas eram definidos a partir dos horários que compartilhavam. Raquel só marcava consultas em dias pares. Marcus não assistia a aulas em dias ímpares. E Nicole, a namorada traída, estava sempre ocupada nesses dias.

Os motéis da Barra não eram a única opção. Às vezes, entravam no carro e seguiam pela Rio-Santos até Mangaratiba, onde estendiam a toalha na praia e dividiam uma pequena faixa de areia. Outras vezes, subiam a Pedra da Gávea pela trilha secundária para aproveitar o pouco movimento. Em algumas ocasiões especiais, quando a temperatura de inverno espantava os clientes, podiam namorar tranquilamente nos restaurantes do Alto da Boa Vista.

Formavam um casal perfeito. Sem brigas, sem mágoas, sem rancores. O que Raquel não sabia era que o gosto pelo proibido invadira o imaginário de Marcus, cujos casos amorosos haviam se multiplicado nos meses anteriores ao sequestro. Não saía apenas com as pacientes da clínica universitária, mas também com alunas da comunicação, com secretárias e até com uma professora casada. Nada que tivesse alguma importância sentimental. Justificava a traição como mera curiosidade, um instinto masculino natural.

Quando Raquel recebeu as fotos de Marcus transando com a paciente, teve uma reação atípica, pelo menos para os padrões que regiam sua vida antes de virar amante dele. Em vez de ficar enfurecida com a deslealdade, preocupou-se apenas com as consequências profissionais e acadêmicas daquelas fotos, com as atitudes disciplinares que o diretor da faculdade deveria tomar. Não teve ciúmes, não praguejou, não reviveu as mágoas do passado. Ninguém podia cobrar fidelidade numa relação que já começara infiel. E, afinal, que importância tinha isso? Ainda formavam um casal perfeito. A não ser por certas ideias recalcadas que insistiam em atormentá-la. Precisava se livrar delas.

* * *

O corpo de Samantha foi encontrado no porta-malas de um carro no estacionamento da universidade. Os traficantes haviam desistido de queimá-la no micro-ondas, como chamavam a fogueira de pneus na favela. Queriam que fosse identificada para que servisse de exemplo. A mensagem era clara: qualquer um que fosse amigo de traidor seria morto junto com o traidor. E todos sabiam que Samantha era a melhor amiga de Karen, cuja atividade ilícita no campus também era bem conhecida, não só pelos consumidores de cocaína, seus clientes, como pelos alunos caretas, que passavam longe das drogas.

O delegado Rogério foi o primeiro a examinar o carro. Dera ordens para que ninguém mexesse no local antes de sua chegada. Apesar de dirigir uma delegacia especializada em sequestros, também investigava o tráfico de drogas na Rocinha, a pedido do Secretário de Segurança. Conhecia bem a ligação da quadrilha com a universidade, assim como conhecia Samantha e Karen. Esperava que elas o levassem ao dono do morro, mas ambas morreram antes.

O carro estava estacionado junto ao portão de saída. No porta-malas, além do corpo, havia alguns pacotes enrolados em cartolina e fechados com fita-crepe. O assassino usara o mesmo tipo de arma do crime anterior: uma faca, encravada na barriga até o cabo. Mais uma forma de comunicação da quadrilha. O que não surpreendeu o delegado, acostumado com a crueldade dos bandidos.

O elemento estranho eram aqueles pacotes. Pediu a um dos detetives que os abrisse. Com um pequeno estilete, ele cortou a tira nas extremidades e desenrolou a cartolina. Em cada embrulho, havia sete fitas de vídeo etiquetadas.

— Tem vários nomes conhecidos nessas etiquetas, doutor — disse o detetive.

— Fica quieto aí. Embrulha tudo de novo e bota numa bolsa pra mim.

A imprensa acabara de chegar. Rogério não queria dar entrevista nem expor as evidências para os jornalistas. Tinha certeza de que o crime estava ligado ao sequestro de Marcus, mas não podia divulgar suas informações. Precisava trabalhar em sigilo, e rapidamente, antes da perícia. Onde poderia ver aquelas fitas?

Mandou uma mensagem de texto pelo celular, pegou a bolsa com os pacotes e entrou no campus. Atravessou a praça de alimentação, cruzou o bloco J e chegou ao prédio da psicologia. Não conseguiu evitar os olhares para as meninas que discutiam a obra de Freud no corredor. Gostaria muito de estudar aquele assunto. Não pelo conteúdo, obviamente, mas pela democrática socialização do conhecimento. Nesses momentos, era um socialista.

Subiu pela escada até o gabinete de Pastoriza, que já o esperava.

— Fala, Lobão! Acabei de receber a tua mensagem. Entra aí.

— Já não falei pra não me chamar pelo apelido?

— Achei que era só na frente do secretário. Então, você me chama de doutor Pastoriza. OK?

Riram da situação. O delegado estava nervoso. Não foi difícil para o amigo psicanalista perceber a angústia dele. As risadas amenizaram o clima.

— Foi mal, Antonio. Esse caso tá me tirando do sério. Eu achei que ia dar um flagrante ontem à noite, mas fui surpreendido com um novo pedido de resgate. E hoje ainda teve a morte dessa aluna. Tá difícil, meu amigo. Tá difícil!

— Eu nem quis ir lá no estacionamento. Nessas horas, a morte vira um espetáculo. Parece que junta gente só pra ver a desgraça alheia. É um prazer mórbido, literalmente.

— Isso devia ser estudado pela psicologia.

— Já é muito estudado. O problema é que estudar ajuda apenas a compreender, não a evitar.

— É verdade. Não tinha pensado nisso.

— Alguma pista sobre os assassinos?

— Devem ser os mesmos que mataram a Karen, isso é óbvio. Não é coincidência que duas alunas do grupo do Marcus sejam mortas na mesma semana. Não é possível que não estejam ligadas ao sequestro.

— Mas elas não tinham ligações com o tráfico? Vai ver é só isso mesmo!

— Não sei, não. Olha o que eu achei no carro onde estava o corpo.

Rogério rasgou um dos embrulhos e mostrou as fitas a Pastoriza. Os nomes nas etiquetas intrigaram o diretor. Havia empresários famosos, cantores, jornalistas e até um padre que gravara um CD de sucesso.

— Que é isso, Lobão?

— Bota aí no teu videocassete. Vamos ver. Aliás, que coisa mais obsoleta! Fita de vídeo é um negócio do século passado! Por que você não compra um DVD?

— Porque eu uso esse vídeo para ver as sessões que são gravadas na sala de espelhos da clínica. A câmera de lá é VHS.

Os dois trocaram um olhar incrédulo e ficaram inertes por alguns segundos antes de soltar um palavrão em conjunto, sincronizado, como se acabassem de descobrir a própria estupidez. A sala de espelhos era a mesma em que Marcus fora fotografado com uma paciente. Portanto, aquelas fitas deviam conter outras sacanagens do garoto. Mas por que havia aqueles nomes nas etiquetas?

— Liga logo isso, Antonio.

— Já liguei! Mas esse negócio não é digital, tem que esperar pela imagem.

Sete barras coloridas surgiram na tela. Impaciente, Pastoriza apertou uma tecla para correr a fita. Quando a imagem finalmente surgiu, não era Marcus que aparecia na sala de espelhos. Apesar de alguns chuviscos e da iluminação precária, dava para ver com clareza o rosto de Jurema e do paciente, um homem de meia-idade, cuja calça de pregas não combinava com a camisa social listrada. Durante vinte minutos, a cena parecia a de uma análise normal, com psicólogo e cliente em plena conversa terapêutica. Mas, aos poucos, os movimentos foram mudando. Primeiro, Jurema cruzou as pernas e deixou a coxa esquerda inteiramente descoberta. Em seguida, sussurrou palavras eróticas, desabotoou a blusa e chamou o paciente com o dedo indicador. Pouco depois, já estavam no chão, nus, em um tipo de terapia muito pouco ortodoxa.

Pastoriza trocou a fita. O mesmo enredo. Colocou outra. Idem. E, em cada uma delas, quando Jurema começava a sessão, a câmera estava posicionada de forma que pudesse captar com nitidez a face do paciente, principalmente quando ela falava o nome completo em voz alta, como se estivesse checando um cadastro. A posição das cadeiras era previamente estudada para que não houvesse dúvidas sobre a identidade do cliente.

— Não falei que essa professora tinha culpa, Antonio?

— Culpada de sacanagem, Lobão. E, talvez, de extorsão. Mas o que isso tem a ver com o sequestro do Marcus?

— Já é a quarta vez que ela aparece nas investigações. Você ainda tem dúvidas?

— Mas você mesmo disse que não conseguiu dar o flagrante ontem. Além disso, se a morte da Samantha tem alguma coisa a ver com o sequestro, então a Jurema é inocente, porque ela não ia deixar essas fitas no carro junto com o corpo.

— Isso pode ser apenas pra disfarçar, pra que a gente pense exatamente dessa maneira. Ela deve ter um cúmplice. Um, não: vários. Além do marido, o tal do Bibiano, já que um dos e-mails de resgate saiu do consultório dele — disse Rogério.

— Disfarçar? Não faz sentido, Lobão. E você esqueceu de um detalhe.

— Que detalhe?

— Da amante do Bibiano, a Virgínia, que também é aluna aqui da faculdade.

— O que tem ela?

— A garota podia ter acesso ao consultório do cara, eles eram amantes. E se ela tivesse a chave?

— Isso não faz dela uma suspeita. Não temos mais nada contra ela.

— Temos, sim: uma mentira.
— Que mentira, Antonio?
— A garota mentiu pra mim, Lobão. Ela disse que a Karen era a sequestradora, lembra? Por que faria isso? Por que acusar uma colega? E tem mais: faz um tempão que não vejo a cara dela aqui pela faculdade.
— Pode ser, pode ser. Mas ainda acho que esse casal de professores tem envolvimento com o caso.
— E o que você vai fazer?
— Com essas fitas, já posso pedir a prisão preventiva dela. Garanto que, no mínimo, ela fazia chantagem com esses caras aí.
— E você acha que eles vão querer falar sobre isso? Os caras são casados e famosos. Duvido que te ajudem.
— Pelo menos um deles eu consigo que fale. E, mesmo que não consiga, sempre tem algum juiz amigo que me dá um mandado sem testemunhas, só com as provas.
— Mas e o Marcus? Se a Jurema for mesmo a sequestradora, o que eu acho improvável, quando for presa, a quadrilha pode matar o garoto.
— Não se eu deixar o marido livre. Ele nos leva ao cativeiro.
— Você está obsessivo, Lobão. Tem que considerar outras hipóteses, outros suspeitos.
— Que suspeitos?
— Por exemplo: as duas garotas do grupo do Marcus que ainda estão vivas.
— Fala sério, Antonio! Uma delas é a namorada do garoto.
— Essa é a minha principal suspeita.
— E o que você quer que eu faça? Quer que prenda a menina? Como é o nome dela mesmo?

— É Nicole. E eu só quero que você fique atento. Tenho uma ideia de por onde começar.

— Qual é a ideia?

— Você me disse que os sequestradores vão fazer um novo contato hoje, às duas da tarde, definindo hora e local para entregar o dinheiro do resgate.

— E daí?

— Por coincidência, a Nicole tem um casal de pacientes nesse mesmo horário. Sei que você estará na mansão, mas eu posso armar um flagrante aqui.

— Como você quer fazer?

— Deixa um policial comigo na clínica. Na hora em que o e-mail chegar na casa do Arlindo, você me liga e eu invado a sala.

— Fechado. Mas ainda acho que você está delirando.

— De qualquer forma, há uma boa chance de o contato partir aqui da faculdade. Você não tem nada a perder, Lobão.

23. Terapia

Homens e mulheres têm cérebros diferentes, doutora. Não é chute, sei do que estou falando. Estudei neurologia na faculdade. Devorei todos os livros que tratam do assunto. É meu tema favorito, fiz até uma monografia sobre as estruturas do córtex e suas diferenças de gênero.
 Fica na tua, Carlinho! Isso é ciência, não tô brincando! Ele não acredita no que eu falo, doutora. Diz que as pesquisas sobre o cérebro ainda são muito recentes, que não dá pra tirar conclusões. Mas não é verdade. Já é possível até mapear as emoções com um aparelho de ressonância magnética. Fiz isso nas aulas de laboratório. Você é um ignorante, Carlinho!
 Neuropsicóloga? É mesmo? Vejam só! Eu nem imaginava! Achei que era estagiária, que nem tinha se formado ainda. A gente te escolheu porque estava escrito terapia de casal no anúncio da clínica. Não sabia que você era especialista em neurologia. Então conta pra ele, doutora!
 Você não consegue discutir a relação porque teu cérebro é pouco desenvolvido no lado esquerdo, Carlinho. Não é isso, doutora? É nesse lado que está a área responsável pela linguagem. Nos homens, essa área é menor, tem menos neurônios. Além disso, o corpo caloso, que é a estrutura que divide o cérebro ao meio

e se encarrega da comunicação entre os dois lados, é mais desenvolvido nas mulheres. Por isso, a gente consegue falar melhor sobre os sentimentos. Em compensação, vocês têm o lado direito mais encorpado. E é lá que estão os neurônios responsáveis pela localização espacial. Por isso que a gente perde o carro no shopping e não consegue ler aqueles mapas na estrada.

O homem é muito mais visual do que a mulher. Tá explicado por que você não consegue resistir a uma vagabunda de minissaia, Carlinho. Nesse momento, o neurônio masculino se descobre sozinho no cérebro, já que todos os outros fogem pra festa lá embaixo. Vocês são limitados, inferiores. A gente se liga em outras coisas, somos mais evoluídas. Usamos todos os sentidos. Gostamos do cheiro, do toque, da conversa. É Darwin, Carlinho. Nunca ouviu falar na Teoria da Evolução?

Fiquei bem mais tranquila agora, doutora. Que bom que você entende de neurologia. Somos colegas. Olha aqui o meu crachá. Tá escrito aí: Olga, assistente de laboratório. Isso mesmo: ainda ajudo os professores na faculdade. Participei daquela pesquisa sobre o amor com o cientista português, o Damásio. Sujeito genial, um crânio. Provou que as emoções estão localizadas no sistema límbico, uma região primitiva do cérebro.

Como não provou, doutora? Eu vi, estava lá. Tá errado? O que que tá errado? Também acho que a terapia é necessária, mas não dá pra ignorar os avanços da ciência. Arte? Como assim uma arte? Se a terapia é uma arte, por que eu não me consulto com um pintor francês? Amanhã, vou pegar um avião pra Paris e procurar uma galeria no Quartier Latin. Não deve ser difícil. Chego pro artista e digo: meu nome é Olga, sou neurótica e preciso da sua ajuda. Depois, deito nos cavaletes e espero ele me curar. Dá até pra tomar um vinho enquanto espero.

Me perdoa. Não quis ofender, doutora. A questão é outra. Eu tava falando das diferenças entre o cérebro masculino e o feminino. Na cabecinha desse homem não tem espaço pra pensar em mim. Tá ocupado com o futebol, com a cerveja, com a *Playboy*. Você é mulher, sabe do que eu tô falando. Aliás, não vou mais te chamar só de doutora. Você tem nome, não tem? Então, não posso ficar com formalidades. Já somos amigas, essa distância não tem que existir. Se você me chama de Olga, por que te chamo de doutora? Não quero desvalorizar a tua profissão. Sei que estudou muito pra chegar aqui. Mas agora somos cúmplices. Ambas conhecemos neurologia. Sinto que estou sendo compreendida. Pela primeira vez na vida, alguém parou pra ouvir os meus problemas.

Você é a única pessoa que me entende, doutora Nicole. Posso te chamar de Nicole?

24. Fantasia

A verdade é um mosaico. Um cruel mosaico cujas peças nunca se encaixam. O tipo de quebra-cabeças que justifica o nome e tem recomendação de idade inscrita na embalagem: proibida para menores de duzentos anos. A verdade é construída, reconstruída, interpretada, reinterpretada. Está inserida em complexas teias de conexões, indeterminações e ambiguidades. A verdade desmancha no ar.

Mas há quatro instituições que ignoram essa complexidade: a polícia, o judiciário, a universidade e o casamento. Todas elas reivindicam a verdade absoluta e, na perene tentativa de obtê-la, valem-se de um recurso que consideram infalível: as provas. No pensamento totalitário de policiais, juízes, professores e maridos, incluindo esposas, as provas não mentem.

Nas aulas de filosofia para o primeiro período, Pastoriza gostava de expor quatro exemplos práticos dessa incongruência: (1) Diante do padre, as alianças prometem eternidade. (2) Um aluno nota dez é sempre o melhor aluno. (3) As evidências condenam o réu. (4) O flagrante determina a prisão imediata.

Apesar da sua lógica fragilidade, as provas sempre pareciam definitivas. Não adiantava falar em (1) divórcios, em (2) alunos medíocres que se tornam gênios, em (3) pessoas presas injustamente ou em (4) flagrantes forjados. Era difícil aceitar que a certeza só podia ser parcial, nada mais do que isso. Mesmo que a ciência tenha estabelecido a dúvida como método, ainda era a busca pela certeza, travestida de verdade absoluta, que motivava a realização de provas.

Seria mais fácil adotar a receita de Mário Quintana: a mentira é uma verdade que esqueceu de acontecer. Mas a aceitação desse risco é quase insuportável. Há uma necessidade imperiosa de acreditar absolutamente em algo, como se a dúvida fosse a pior das angústias. E talvez seja. Só é possível superá-la a partir do entendimento de que a dúvida é diferente da descrença. Se não fosse assim, as religiões não existiriam.

Para quem crê, a dúvida é parte do processo. A descrença seria não aceitá-la. Para um cristão, é difícil entender o mistério da Santíssima Trindade, mas ele continua acreditando. Não é preciso ser médium para aderir ao espiritismo, basta crer na fluidez da matéria e na reencarnação. Alah está presente em todos os muçulmanos, mesmo que eles não o vejam. A dúvida é a única certeza concreta. E vice-versa.

Quando Pastoriza armou o flagrante para Nicole, não tinha a ilusão de que poderia dirimir suas dúvidas sobre a participação dela no sequestro. A prova não serviria para diminuir o ceticismo, muito menos para absolvê-la. Nicole era culpada, ponto final. Nada a livraria do veredicto construído pelas frustrações do passado e alimentado pelas fantasias que ele fabricara. Fantasias não sobre ela, mas sobre os pensamentos dela, uma paranoia consciente, embora muito mal elaborada.

Dez minutos antes do horário marcado pelos sequestradores para o envio do e-mail, Pastoriza e um policial da DAS se posicionaram em uma sala reservada da clínica universitária. Na mesma hora, Nicole deveria atender Olga e Carlinho, o único casal que ainda estava em terapia com ela. Assim que Rogério ligasse para avisar sobre o e-mail, eles invadiriam o consultório dezoito. Se ela estivesse com os pacientes, não era a autora do pedido de resgate. Pelo menos, não seria a responsável por enviar a mensagem, pois não havia rede no interior da clínica.

Para o diretor da faculdade, o agendamento da consulta era uma farsa. Ela devia ter marcado o nome dos clientes na planilha apenas para ter um álibi. Certamente não estaria na clínica, o que, segundo Pastoriza, era um claro indício de culpa, embora Rogério pensasse de maneira diferente. Para o delegado, a ausência não provaria nada além de uma gazeta estudantil. Mesmo assim, permitira o flagrante e ainda instruíra o policial para seguir as ordens do amigo.

Cinco para as duas. Nenhum sinal de Nicole. Não aparecera na secretaria nem para apanhar a ficha do casal, que tampouco havia chegado. Pastoriza permanecia na sala reservada para não chamar a atenção, mas observava o corredor por uma pequena fresta. Seria impossível chegar ao consultório dezoito sem que ele visse.

Às duas horas e três minutos, o telefone tocou. Era Rogério:

— O e-mail chegou, Antonio.

— Então, vou entrar. Ela nem veio à faculdade. Será apenas pra conferir.

A porta estava trancada. O policial tentou forçar a maçaneta, sem sucesso. Pastoriza bateu. Nenhuma resposta. Outra batida. Três murros com a mão fechada, produzindo decibéis incompatíveis com o lugar.

— Polícia! — foi o grito desnecessário do inspetor da DAS, ainda mais alto do que as pancadas na madeira.

Ninguém abriu. Mais dois socos com as falanges dos dedos em posição de boxe e um chute na parte inferior da porta. Novos gritos. A balbúrdia instalada no corredor:

— Vou arrombar! É polícia, já falei! Abre logo!

Nada. Silêncio absoluto no número dezoito. A reação veio dos consultórios vizinhos. Alunos assustados começaram a abrir as portas pensando que os berros eram dirigidos a eles. Alguns pacientes, ainda mais assustados, também começaram a gritar. Outros correram para fora da clínica e quase foram atingidos pelo inspetor, que não conhecia os "suspeitos" e, portanto, suspeitava de todos. Em menos de um minuto, a algazarra tomava conta do andar inteiro.

Da entrada do consultório dezessete, veio a voz que surpreendeu Pastoriza:

— Que barulho é esse?

Nicole demonstrava a irritação nos gestos. De pé, ao lado da porta, as pernas cruzadas em posição de xis, a mão direita apoiada na parede e a esquerda na cintura, ela não levantou a voz. Apenas repetiu a pergunta com mais formalidade.

— O senhor diretor poderia me dizer o motivo desse barulho?

O policial percebeu na hora. Não havia necessidade de invadir o consultório dezoito. Aquela era "a suspeita". Estava estampado no olhar perdido de Pastoriza, inerte, meio cão sem dono. Não disse uma palavra, apenas observou a bronca corporal da terapeuta e a pergunta hesitante do diretor:

— Você não tinha marcado a sala dezoito?

— Marquei. Mas eu tive que começar meia hora antes e a sala estava trancada. Então, vim para a dezessete — respondeu Nicole.

— Meia hora antes? Você já está nesse consultório há trinta minutos?

— Estou. Qual é o problema? Entrei correndo porque o casal já estava me esperando. E, se você me dá licença, vou continuar o atendimento. Passe bem!

A dúvida permanecia como única certeza.

* * *

O delegado Rogério saiu da mansão de Arlindo às duas e meia da tarde. Apesar de não ter a autorização do Secretário de Segurança, estava decido a planejar um flagrante para os sequestradores, que, no último e-mail, haviam marcado hora e lugar para a entrega do resgate. Já não se importava mais com os riscos. Achava que o garoto seria morto de qualquer maneira, independentemente do pagamento. Então, a única maneira de salvá-lo seria dar o bote nos bandidos que viessem buscar o dinheiro. Usaria todos os seus métodos de persuasão, dos mais modernos aos mais ortodoxos, para convencê-los a entregar o local do cativeiro. Geralmente, eram os mais ortodoxos que funcionavam melhor e isso lhe proporcionava uma satisfação peculiar.

Ligou para a DAS e pediu para reunir a equipe. A viatura da polícia desceu pelo Horto Florestal e seguiu pela Rua Jardim Botânico em direção à Avenida Afrânio de Melo Franco, no Leblon, onde ficava a delegacia. Mas, quando estava quase chegando, o delegado decidiu fazer uma visita ao apartamento de Jurema, em Copacabana. O motorista pegou a pista da praia na Delfim Moreira, quase no Jardim de Alah. Passou pelo Caesar Park, pela Casa de Cultura Laura Alvim e pelo posto oito. Na altura do Arpoador, Rogério deu uma nova olhada no e-mail dos sequestradores:

"Dr. Arlindo,
O dinheiro deve ser entregue depois de amanhã, quinta-feira, às onze da noite. O senhor seguirá pela Avenida Brasil em direção à zona oeste, com uma fita adesiva em forma de cruz nos faróis do seu carro. Quando chegar na passarela de Manguinhos, pare ao lado da escada. A maleta com o dinheiro (um milhão em notas de cinquenta) deverá estar no banco do carona. Venha sozinho e não avise à polícia. O acordo só vale se o senhor confessar seus pecados para a imprensa antes do pagamento do resgate. Do contrário, seu filho morre.

Ass.: Iara Clara Rosa."

A mensagem parecia correta demais, sem qualquer erro de português. Era um texto formal, direto, bem escrito. Não combinava com a linguagem cotidiana dos bandidos que conhecia, cujos solecismos, gírias e palavrões dominavam o discurso. Parecia muito mais com um memorando ou um relatório, algo facilmente produzido por um professor universitário.

Rogério não estava convencido da inocência de Jurema e Bibiano. Seguiria com a estratégia de prendê-la preventivamente e deixar o marido livre, para que pudessem segui-lo. Ainda não tinha o mandado judicial, mas a levaria para o distrito a título de averiguação, enquanto esperava pela ordem do juiz. Assim, ficaria mais tranquilo para planejar o flagrante de quinta-feira.

A assinatura tripla no e-mail também era muito suspeita. O que significava? Três autores? Nesse caso, Bibiano e Jurema poderiam ter um cúmplice. Na lógica investigativa do delegado, os bandidos sempre deixavam pistas para identificá-los, como se fossem artistas em busca de reconhecimento. E quanto maior o nível intelectual do criminoso, mais essa lógica funcionava.

Cruzaram o Forte de Copacabana e entraram pela Avenida Atlântica. Àquela hora da tarde já havia prostitutas em frente à boate desativada, cujas instalações seriam reformadas para abrigar um museu. Turistas estrangeiros caminhavam pelo calçadão, aproveitando o clima ameno do outono. Os bares da orla estavam cheios, embora o movimento na praia não fosse dos mais intensos. Viraram à esquerda na República do Peru. Atravessaram toda a avenida para fazer a manobra, deixando alguns motoristas enfurecidos com a viatura policial. Passaram pelo bar do português de um lado e pela escola com nome familiar do outro. Quando chegaram à esquina com a Rua Toneleros, Rogério fez sinal para que parassem. Um detetive ficou no carro. O outro acompanhou o delegado até o apartamento de Jurema.

O elevador estava quebrado. Tiveram que subir quatro lances de escadas, o que os deixou sem fôlego, com o corpo curvado. As luzes do corredor estavam apagadas. A precária iluminação vinha de uma janela retangular que dava para a rua. O detetive tocou no apartamento quatrocentos e dois.

Quando ouviu a campainha, Bibiano estava corrigindo as provas da turma de terapias comportamentais. Seu método de correção era simples: como não tinha tempo nem paciência para ler setenta provas de quatro folhas cada, o que somava duzentas e oitenta páginas, sorteava algumas delas para olhar o primeiro parágrafo de cada questão. Nas demais, limitava-se a ler o nome do aluno e algumas frases soltas no meio do texto. Se o conhecesse e as palavras fizessem algum sentido, dava a nota máxima. Do contrário, descontava pontos proporcionalmente ao grau de tédio em que se encontrava.

O casal não se surpreendeu com a visita. Ao abrir a porta, Jurema parecia já esperar pelo delegado.

— Boa tarde, Dr. Rogério. Por favor, entre. O senhor também, detetive.

— A senhora não parece surpresa com a minha visita, professora.

— Desculpe a franqueza, delegado, mas os senhores não são muito discretos. Há horas acompanho a movimentação de seus agentes pela minha janela. Sabia que a qualquer momento viriam aqui. Pensei até em convidá-los pra almoçar. Chega uma hora em que não dá mais pra ficar à base de sanduíche, não é mesmo? Aceita um café?

O detetive fez um sinal positivo com a cabeça, mas foi repreendido por Rogério, que recusou a oferta. O tom irônico de Jurema confirmava suas teses. Os psicopatas eram sempre seguros, não demonstravam culpa ou remorso. Tinham respostas prontas e não apresentavam qualquer reação diante do perigo. Mesmo quando estavam na iminência de ser presos, os batimentos cardíacos continuavam inalterados. Mas ele sabia lidar com aqueles *malucos*.

— Seu marido está ocupado?

— Está lá no escritório, corrigindo provas.

— Poderia chamá-lo? Nosso assunto interessa aos dois.

Jurema percebeu a estratégia de Rogério. Como Bibiano não tinha o mesmo controle emocional que ela, poderia cair nas armadilhas do delegado. Armadilhas banais, é verdade, mas que capturavam pessoas ingênuas e inseguras. Mesmo assim, chamou o marido.

— Boa-tarde, delegado.

— Como vai, professor Bibiano? Seu rosto parece melhor. Ainda dói?

— Não, não dói. Só deixou uma cicatriz feia. Nada mais.

— Vi que retirou a queixa contra sua aluna na delegacia. Como é o nome dela mesmo? Virgínia, não é isso? O que houve? O senhor se arrependeu?

— Não quis incriminar a menina.

— Entendo, professor. Mas ainda há um culpado, alguém deve pagar por isso.

— Não estou preocupado com esse assunto.

— Mas eu estou. Talvez o culpado seja o mesmo que comprou esse papel de um médico corrupto — disse Rogério, mostrando a receita com o nome de Pastoriza, quase ilegível, escrito a lápis.

Bibiano olhou para o lado, ensaiou uma resposta, mas não conseguiu falar. Jurema respondeu por ele. Precisava confessar um crime para se livrar da acusação de outro.

— Pra que esse jogo, delegado? Assumo minhas responsabilidades. Eu comprei a receita. Mas não sou culpada de tudo que o senhor acha que sou.

— E do que a senhora é culpada, professora?

— Inveja, delegado. Apenas inveja. Eu ia mostrar essa receita ao reitor da universidade. Queria tirar o Pastoriza do cargo de diretor. Achava que um documento mostrando que ele era psicótico seria mais do que suficiente. Imagina só a cena: uma faculdade de psicologia dirigida por um sujeito que toma haloperidol! É demais, não é? Esse remédio é pra quem tem surtos. Ia acabar com a carreira dele.

— O que ele fez contra a senhora?

— Porra, delegado! Ele fez tudo. Chegou aqui há dois meses e já foi assumindo a direção da psicologia. Estou na universidade há quinze anos e o reitor nunca me convidou pra cargo nenhum. Fiquei irritada com aquele palhaço. O cara tomou o lugar que era meu. Não podia deixar.

— A senhora tem noção de que acaba de confessar o crime de falsificação?

— Qual é, delegado? Isso não é nada. Crimezinho de merda! Sei que o senhor tem mais contra mim. Onde estão as fitas?

— Como sabe das fitas?

— Sei de muito mais. Sei que o senhor suspeita de mim no caso do sequestro, mas não tenho nada a ver com isso. Além de falsificação, também sou culpada de lascívia, nada mais. Sabe o que é lascívia, delegado? É luxúria, sacanagem, sexo. Gosto de sexo, gosto muito. Gosto de fazer e de ver. Ao vivo e na televisão. Só que eu produzo meus próprios filmes. Qual é o problema? Isso não faz de mim uma sequestradora. As fitas estavam com o Marcus porque o garoto era intrometido e ladrão. Roubou tudo da minha sala. Se eu estivesse com esse moleque, as fitas não chegariam à polícia. Não é óbvio, delegado?

Rogério teve que se conter. *A mulher era abusada. Como é que ela falava naquele tom? Quem ela pensava que era?* O primeiro impulso foi meter as algemas na safada e levá-la para a delegacia, mas precisava manter a calma. Melhor continuar com a boa educação. Se usasse todos os adjetivos que vinham à cabeça, acabaria processado por injúria. E tinha que admitir: Jurema estava bem informada.

— A senhora ainda não me disse como sabia que eu estava com as fitas? Quem contou?

— Ora, delegado, esse é o meu trabalho: investigar. O que faço é buscar informações sobre as pessoas. Mas primeiro tenho que conhecer a mim mesma. Sou uma profissional, só corro riscos calculados. O senhor acha realmente que eu usaria essas fitas para ganhar dinheiro com chantagem? Não sou burra. Essas pessoas são poderosas. E algumas delas sabiam que estavam sendo filmadas. Tinham até cópias. Na verdade, pagavam por isso.

— Vou perguntar de novo: quem contou sobre as fitas, professora?

— Meu Deus! Quanta impaciência! Tudo está diante do seu nariz, delegado. O senhor viu todas as fitas? Garanto que não. Se tivesse visto, reconheceria o seu chefe nas imagens. Ele adora o que eu faço. É um de meus melhores clientes. Tenho as costas quentes, querido. Não pode fazer nada contra mim. Não adianta me prender. Basta um telefonema para o Secretário de Segurança e estou livre. Perdeu, doutor!

Rogério colocou as algemas em Jurema e a levou para a delegacia.

* * *

A Rocinha carregava o título duplamente incorreto de maior favela da América Latina. Primeiro porque não era a maior e, segundo, porque nem favela era. Não no sentido estrito. Claro que havia muita pobreza, serviços públicos precários e construções de alvenaria sem instalações de esgoto, luz ou água. Mas boa parte da comunidade tinha ruas asfaltadas, agências bancárias, comércio regularizado e até especulação imobiliária. Empreiteiros com residência na Zona Sul da cidade construíam prédios de até onze andares para ganhar dinheiro com o aluguel dos apartamentos. Uma quitinete no ponto nobre do morro, perto da via principal, podia ser vendida por até oitenta mil reais. E havia casas de dois andares, com piscina, antena parabólica e diversas suítes. O lugar era um bairro. Um bairro com a melhor vista do Rio. Quase noventa mil trabalhadores moravam no local, a maioria prestando serviços essenciais para os vizinhos ricos do asfalto, mas o estado só enxergava a ínfima porção que vivia do tráfico de drogas. Para o governo, para a polícia e para boa parte dos cariocas, o morro era lugar de bandido. E, portanto, a lei dos tribunais não valia. Só restava o recurso da violência. Tal pensamento funcionava como uma profecia autorrealizadora. Diante da ausência do poder público, os traficantes acabavam de fato tomando a comunidade e impondo sua própria lei, o que reforçava a ideia preconceituosa. Quando a polícia entrava era na base da porrada, ignorando os direitos dos moradores, que não sabiam de quem tinham mais medo. Na dúvida, valia a lei do tráfico, também violento, porém onipresente. Na Rocinha, nada se resolvia sem o consentimento dos chefes do movimento.

As ruas menores, perdidas no labirinto de tijolos que ocupava a mata atlântica devastada, escondiam bocas de fumo muito lucrativas. O empreendimento movimentava cinco milhões de reais por mês, mais do que muita empresa de médio porte. O *chief executive officer* era chamado de patrão. Abaixo dele, estavam os gerentes das bocas, os soldados, os vapores e os olheiros, que vigiavam a entrada do morro. Foi um deles que levou Virgínia até o chefe.

— Aí, patrão. Taqui a moça que quer levar um lero contigo.
— Pode ir, Toquinho. Eu conheço a patricinha. Deixa ela comigo.

O moleque fechou a porta do barraco e foi embora. O dono do morro estava sozinho na sala, mas quatro bandidos que faziam sua segurança pessoal ocupavam o cômodo ao lado. Uma pistola estava em cima da mesa e havia dois fuzis AK-47 jogados no sofá velho.

— Dá o papo aí, boneca. Se veio só comprar maconha, não precisava falar comigo. O gerente resolve a parada.

— Na verdade, eu quero expandir meus negócios. Tô a fim de comprar fubá.

— Tá ficando de olho grande, neguinha? Escuta só: tu é do meu contexto, tá ligada? Sempre negociou com a erva e nunca me deu o cano. Mas com o pó a parada é diferente. Tu pode se enrolar.

— Não vou me enrolar. Agora que a Karen tá fora, o pessoal da faculdade vai precisar de mim.

— A mocreia vacilou e foi pra vala. E era a minha mina. Tu sabe, num sabe? Nem assim eu aliviei! É a lei do morro. Tem que fechar comigo!

— Não tem erro. Tô fechada com o movimento.

— O movimento sou eu, porra! Eu sou o frente. Se tu num ficar na atividade, mando te passar na hora. Vou cobrar geral, tá ligada?

— Tô, sim.

— Mas tem uma forma de tu conseguir um preço bom.

— Qual?

Virgínia já sabia a resposta. O chefe do tráfico na Rocinha era famoso pelos casos com alunas da universidade. Karen não fora a primeira nem seria a última. Para ela, não parecia nada demais. O sujeito era interessante e o risco a excitava, embora as declarações de amor fossem pouco convencionais:

— Tô amarradão na tua, princesa. Tu vai ser minha fêmea. Vou botar vários ouros no teu peito e te fazer a rainha do morro. Fecha comigo que o mundo é teu.

O chefe do tráfico chamou um dos seguranças e pegou duas embalagens envolvidas com plástico escuro. Em cada uma havia trezentos gramas de cocaína pura, sem as misturas com fermento, farinha e outras substâncias brancas, como era comum no Rio de Janeiro. Colocou os pacotes numa sacola de supermercado e gritou para o gerente da boca, que ainda estava no quarto ao lado:

— Ô Ferradura!

— Fala, patrão.

— Libera a área que eu vou ter uma explanação particular com a mina. Todo mundo pra fora do barraco! Bota dois cara na contenção do lado de fora e mais uns três no pé da rua. Se os verme aparecer, manda um rádio pra mim. Atividade aí no bagulho! Vamo! Vamo! Vaza geral, porra!

O lugar ficou vazio em poucos segundos. Virgínia se sentou no sofá velho tranquilamente, sem se importar com as armas. Estava com o olhar tão preso à sacola que quase não ouviu a voz grave e excitada do novo namorado.

— A carga taí, princesa. Mas depois tu confere. Agora, boneca... Agora vamo ter romance!

25. Memória

Nas quartas de manhã, a feira livre na Praça do Ó mudava a paisagem do Jardim Oceânico. As donas de casa com carrinhos de ferro, os vendedores de frutas, as promoções de hortigranjeiros e as verduras em exposição nas barracas de madeira dividiam espaço com os pastéis feitos na hora, o caldo de cana e os *churros del Uruguay*, que de uruguaios não tinham nada.

Durante a infância no subúrbio, Pastoriza percorria as feiras de rua junto com o avô, cuja ascendência espanhola lhe conferia uma habilidade específica para negociar alimentos, principalmente os pescados frescos, que vinham direto das barcas de Niterói. O velho careca colocava os dedos entre as guelras, conferia as escamas e examinava os olhos para atestar a boa procedência e conservação. Em seguida, oferecia metade do valor exposto na placa e, invariavelmente, levava o peixe por três quartos do preço. Fazia o mesmo com crustáceos, camarões e mexilhões. Além de providenciar as encomendas ordinárias para abastecer a despensa.

Quando chegavam em casa, ele mesmo colocava os siris na panela com água para cozinhar. Sem tempero, apenas com algumas folhas jogadas durante a fervura, que era para não mudar o sabor. Em seguida, descascava-os pacientemente para o neto, cujo único trabalho era espremer o limão sobre a carne branca e abrir as garrafas de refrigerante para acompanhar. O avô bebia algumas cervejas, contava causos galegos e colocava um vinil com canções espanholas na vitrola Philips que parecia uma cômoda de jacarandá. Passavam a tarde nesse ritual, que se repetia sempre, semana a semana, e se repetiu para sempre, mesmo na ausência do velho.

Na memória, a repetição era presente, não passado. E, como presente, tinha a capacidade de habitar esse passado. Havia nas lembranças de Pastoriza o sentimento de que, ao contrário do senso comum, o passado ainda estava por fazer. Não era algo acabado, fixo em um tempo que já passou, mas uma constante reconstrução de sentidos, a reelaboração infinita da própria história. A cada vez que lembrava de um fato, incluía novas informações e esquecia de outras, elaborando as dinâmicas ficcionais mais realistas que podia ter.

Duas Nicoles haviam passado pela vida de Pastoriza. A mais recente era a namorada de Marcus, de quem desconfiava instintivamente. A mais antiga era uma epifania, um traço mítico em sua memória. Dez anos antes, quando a conhecera, não imaginava o estrago que faria, não a imaginava como causa de sua incapacidade afetiva, não imaginava que ela seria seu holocausto narrativo.

No primeiro encontro, carregava um livro de Jean-Claude Carrière, mas era impossível lembrar do título. Lembrava apenas de uma passagem: o homem que nada podia narrar sobre si, não sabia mais nada, muito menos o que devia fazer. Nicole — a mais antiga — reparou na capa fosca, bem produzida, e na roupa despojada, solta, em harmonia com os óculos de armação escura. Se não fosse um intelectual, aparentava muito bem, pensou, enquanto buscava uma forma original de se apresentar.

— Oi, sou crítica literária. Gostando do livro?

— Não é literatura, é ficção. Um livro de boas histórias sem preocupação com estilo. Muito bom.

Nem original, nem sutil. Não importava, estavam apresentados. Passaram a tarde no bistrô da Martinha, a filha do reitor da Uerj, cujo bar era frequentado por professores, psicanalistas e intelectuais de pouca expressão. Pastoriza se encaixava nas três categorias, mas não falou muito sobre si. Não queria dar pistas, se entregar. Preferia deixar lacunas, instigar a curiosidade, fugir de assuntos pessoais. Ela, ao contrário, despejou toda a biografia em poucos minutos. Contou que era jornalista, gostava de cerveja belga e, por coincidência, acabara de ser contratada como professora na mesma universidade em que ele trabalhava. Também tinha opiniões firmes sobre eutanásia, aborto, maioridade penal, sistema de cotas, taxa de juros, parlamentarismo, monogamia, reforma ortográfica, teatro grego, comida japonesa, crise mundial e outros temas mais complexos. Mas nem sempre fora assim tão decidida. Antes do jornalismo, costumava ter muitas dúvidas, hesitava demais. O trabalho como repórter a salvara da indecisão.

A vida amorosa era banal. Tivera dois ou três *namoridos* sérios, um neologismo que soava mal, mas se encaixava perfeitamente na definição que tinha sobre o compromisso. *Misturo a fase boa, antes do altar, com a ruim, depois do papel.* Pastoriza perguntou por que, então, assinar o papel. Ela respondeu: *para saber quando foi a fase boa. E aqueles que não assinaram? Foram só bons ou só ruins, não valeram muito a pena.*

À noite, o bar recebeu outros professores para uma festa de confraternização pelo início do ano letivo. Ela se apresentou a todos, sem cerimônia, demonstrando carisma e empatia, conquistando a atenção sem fazer muito esforço, apenas com as histórias que contava. Histórias de repórter, com começo, meio e fim, muito bem estruturadas. Com sentido e direção, causa e consequência, significado e lógica. Histórias para serem lembradas.

Nos meses seguintes, saíram juntos em quase todos os finais de semana, além de jantares ocasionais nas terças e quintas, quando ela dava aulas no campus da Barra. Viram os filmes do Antonioni, foram a peças experimentais, leram romances ingleses sem enredo. Coisas sofisticadas, de que ele fingia gostar e ela achava que ele gostava, porque, do contrário, nem passariam perto. Foi a "fase namoro", a tal da parte boa, pré-assinatura, em que as concessões eram regra, mesmo quando nenhuma das partes entendia muito bem. Bastava a crença de que agradava ao outro.

Ela também tinha os olhos verdes e as canelas finas. A boca em forma de maçã se movimentava discretamente, apesar do verbo incontido, da verve afiada, da narrativa sem censura. Pastoriza adorava aquelas histórias coerentes contadas com paixão exagerada, como se alguma paixão pudesse não ser exagerada. As certezas jornalísticas não o irritavam. Nem as manias de grandeza, típicas de repórter, que ainda eram infladas por prêmios e aumentos de salário.

Na "fase papel", mesmo sem a assinatura, assumiram compromissos de cartório: contas de luz, IPTU, creme no rosto, tampa levantada, calcinha no chuveiro e o rolo de papel que não ia sozinho pro lugar. TPMs, DRs, PQPs e outras siglas deram o ar da graça como em qualquer rotina. Mas, diferentemente do que previam, continuaram juntos. Nenhum desentendimento grave aconteceu durante os dois anos, cinco meses e vinte dias em que permaneceram casados. A não ser as sabotagens normais de qualquer casamento, cujo objetivo era apenas renovar o desejo, mantê-lo aceso.

Ela foi sua primeira mulher e ele foi seu terceiro ou quarto namorido. Brigaram por um motivo tosco, fútil, que nenhum deles era capaz de lembrar. Mas a separação durou pouco. Reencontraram-se meses depois, em um momento difícil para Pastoriza, que era suspeito de participar de um crime. Ela o acolheu em casa, foi gentil, amorosa, doce, e ainda se ofereceu para ajudá-lo com o caso. Utilizou-se da influência como repórter para intermediar o contato com o chefe de polícia da cidade, fez investigações por conta própria e arrumou a cama com os lençóis brancos de que ele gostava.

Vinha dessa época o trauma. Toda aquela gentileza apaixonada não passava de uma estratégia de dissimulação. Nada de certezas, nada de amores, nada de lençóis. Nicole estava diretamente envolvida no crime do qual ele era acusado. Um envolvimento irrefutável, com provas concretas e detalhes sórdidos que aumentavam a desilusão. Pastoriza custara a perceber a própria cegueira e, mesmo após a descoberta, usara teorias filosóficas sobre a inexistência da verdade absoluta para questionar os fatos que estavam bem diante dos olhos. Não falaria sobre eles, nem deixaria que outros o relatassem. Havia pormenores que não podiam ser relatados ou escritos, pois nenhum ouvinte ou leitor entenderia o que só uma lembrança traumatizada poderia explicar.

Durante os últimos sete anos tentara produzir uma lacuna artificial na memória. Mudara de país, de profissão, de vida. Nunca mais a vira, nunca mais a evocara. Vivia na labuta diária de sublimar os acontecimentos, numa espécie de autoterapia psicanalítica, que parecia estar funcionando até o dia em que deu a carona para a namorada de Marcus, que também se chamava Nicole, logo após o sequestro.

Impossível não pensar na segunda Nicole sem se referir à primeira. O mesmo nome, os mesmos olhos verdes e o mesmo contexto criminal, o que só podia ser um prelúdio de repetição. Não se deixaria enganar novamente.

Foi o que pensou quando a viu na porta do prédio, esperando por ele, que voltava da feira com duas sacolas de plástico e meio-quilo de filé de corvina.

* * *

A reunião na mansão de Arlindo começou depois do almoço, assim que os empregados deixaram a sala de jantar. O anfitrião estava sentado à cabeceira, como de costume. Do seu lado direito, o honorável pastor anglicano e magnífico reitor da universidade. Do lado esquerdo, o Secretário de Segurança do estado e, logo em seguida, o deputado Fonseca, líder da bancada governista em Brasília, membro da alta sociedade carioca e um dos maiores criadores de gado do país.

O reitor foi o primeiro a falar.

— Dr. Arlindo, todos nós estamos consternados com o que aconteceu com o seu filho. Deus está com ele e nós oramos por isso.

— Amém! — disse o secretário.
— Amém! — repetiu o deputado.
— Mas, neste momento trágico, o senhor deve ser mais forte do que nunca. Não pode se render à chantagem de bandidos. Não salvará seu filho cedendo a esses marginais e ainda se afogará na lama se fizer o que eles estão pedindo. Não se deixe vencer tão facilmente! Não deixe que seu nome caia em desgraça! Vamos lutar juntos. Nós estamos aqui para ajudá-lo. E Deus está conosco! — completou o reitor.
— Amém!
— Amém!
— Amém é o cacete! — gritou Arlindo. — Desde quando vocês estão preocupados com o meu nome? É o de vocês que está na reta. Por isso estão aqui. E ainda usam o nome de Deus para tentar me convencer?! Que palhaçada é essa?
— Calma, doutor — disse o secretário.
— Eu estou calmo. Vocês acham que já não pensei em todas as alternativas? Claro que pensei. Mas elas não existem. A sua polícia é incompetente, secretário. Até agora não descobriu nada. O que mais posso fazer?
— Pode esperar um pouco mais — respondeu.
— Não, não posso. Recebi um ultimato. Tenho que confessar! É isso que eles pedem, não é? Então, vou cumprir. Não fui pai durante os últimos vinte e dois anos. Serei agora. Vou salvar o garoto e vou salvar minha mulher, que está numa cama há dez dias. O preço não me importa.
— O senhor é um ótimo pai — disse o reitor. — Não seja tão severo consigo mesmo. Nós estamos apenas ponderando que o pedido desses meliantes é um absurdo. Além disso, eles não

foram específicos. Não disseram o que o senhor deveria confessar. Então, por que envolver a todos nós?

— Eles foram específicos, sim. Disseram que eu deveria confessar meus pecados. E vocês são os meus pecados. Ganhamos muito dinheiro juntos, mas agora acabou.

O deputado se levantou e contornou a mesa, passando pelo reitor e pelo Secretário de Segurança. Quando chegou à cabeceira, pousou as mãos sobre os ombros de Arlindo, olhou para cima e sussurrou palavras religiosas em direção ao teto. Em seguida, caminhou até o aparador onde estava o café, silenciosamente, enquanto os demais apenas observavam. Encheu a xícara até a metade. Sorveu o líquido sem açúcar, de um só gole, fazendo uma careta ao final. Depois de pegar um biscoitinho amanteigado para tirar o amargor, dirigiu a palavra calmamente para o anfitrião:

— Leia meus lábios porque vou falar baixo, sem me exaltar: você é um ingrato filho da puta!

Arlindo não se levantou. Tampouco se irritou com o xingamento, limitando-se a devolvê-lo com uma pergunta:

— Por que sou ingrato?

O deputado, por sua vez, irritou-se com a ausência de irritação:

— Você ainda pergunta?! Quando te conheci, tuas empresas estavam na falência. Fui eu que te peguei pela mão e te levei pra Brasília. Graças a mim, você ganhou todas as grandes concorrências de obras públicas desse país. Olha pra essa casa, Arlindo. Cada móvel aqui foi comprado com o dinheiro que eu te ajudei a ganhar. Se não fosse por mim, você estava morando numa favela. E agora vai me entregar? Você é um merda! Um merda!

O reitor e o secretário tentaram acalmar os ânimos. Mas o deputado Fonseca continuou gritando:

— Eu já te considerava da família. Teu filho é meu genro, porra! Eu entreguei minha filha pra vocês. Ela foi até tua secretária, Arlindo. E agora você me vem com essa história de confissão?! Não posso acreditar nisso. Eles vão casar, porra! A Nicole vai ser tua nora. Como é que você faz isso com a gente?

Foi a vez de o anfitrião levantar a voz:

— Fui eu que te fiz um favor, Fonseca! A Nicole sempre teve vergonha de ser a filha do deputado corrupto. Ou você já esqueceu que ela tem aquelas ideias de esquerda? A garota é filiada ao partido revolucionário! Saiu da tua casa quando tinha dezesseis anos e arrumou emprego numa ONG vagabunda, lembra? Só veio trabalhar comigo porque não sabia que éramos amigos. E eu só dei o emprego porque era tua filha. Quando ela começou a namorar o Marcus, fiquei na dúvida. Não sabia se trepar com uma rebelde sem causa era bom pra ele. Mas, pelo menos, serviu pra afastar a filha da cozinheira. Só isso, Fonseca. Esse foi o único favor que você me fez. E não me olha com essa cara de superior! Você levou vinte por cento de tudo que eu ganhei em Brasília. Assim como o reitor ganhou nas doações para a universidade e o secretário nas obras dos presídios. E todos nós lavamos dinheiro na igreja anglicana. Somos sócios, meus caros.

— Sócios não traem os parceiros — disse o reitor.

— Mas eu estou saindo da sociedade — respondeu Arlindo.

* * *

Pastoriza e Nicole entraram pela porta da cozinha porque ele perdera a chave da sala. A cafeteira ainda estava com o coador velho coberto pelo pó úmido do desjejum. Ao lado da torradeira que só queimava as bordas restavam duas fatias de pão de fôrma integral e um pote vazio de manteiga. Havia xícaras, talheres e pratos sujos espalhados pela pia.

— Tá precisando de uma empregada, hein!
— Hoje é quarta e ela só vem às sextas.
— Tem que mudar pra duas vezes por semana pelo menos. Olha só essa bagunça!
— Geralmente não estou em casa durante a semana. Hoje é uma exceção.
— Mesmo assim, uma vez por semana é pouco. Não dá pra limpar a casa e ainda cuidar das tuas coisas.
— Você veio aqui pra me dar lições domésticas, Nicole?

Não estava nervoso, apenas impaciente. Pastoriza não esperava por aquela visita, sentia-se despreparado, vulnerável, frágil. A garota tinha um jeito natural de se impor: começava com uma conversa amena, seguia para assuntos pessoais e sempre terminava tocando nos pontos fracos, justamente os que o faziam perder o controle, sair do sério. A impaciência era uma forma primária de estupidez e, sendo estúpido, tentava se proteger, o que era mais estúpido ainda. Principalmente quando a interlocutora tinha um raciocínio ágil e perspicaz.

— Não precisa ser grosso! Você tem medo de quê, Antonio?

Tinha medo dela, claro. Pensou que devia ser a primeira vez que o chamava de Antonio, mas não tinha certeza. Lembrava-se vagamente de que, nas vezes anteriores, mesmo após intimidades e confissões, ouvira apenas a palavra diretor. Mas podia estar errado. Não que se importasse com isso. Formalidades não amenizavam em nada a situação. Continuava vulnerável. Então, continuava estúpido.

— Não tenho medo de porra nenhuma.

— Se não tem medo, por que tanta violência?

— Ódio, Nicole. É ódio.

— Você me odeia, Antonio?

— Odeio a devassa que você faz na minha intimidade, nos meus segredos. Odeio perder minha autonomia. Odeio essa incapacidade idiota de recuperar o poder sobre minhas emoções.

— O nome disso é medo.

— Não, não é.

— Claro que é. Não fui sua aluna em filosofia contemporânea, mas li Nietzsche. Lembro muito bem da questão principal.

— Que questão?

— Quanta verdade você pode suportar? Quanta verdade, você, Antonio, pode suportar?

— Vai querer me ensinar a filosofia de Nietzsche agora?

— Você sempre responde com perguntas. Está fugindo de mim, Antonio. Os inimigos da verdade não são as mentiras, são as convicções. Como essa convicção absurda de que sou culpada.

— Quem te disse isso? Nunca te culpei de nada.

— Você me culpou por trair o Marcus e por te fazer trair alguém que eu nem conheço. Quem é ela, Antonio? Na verdade, eu sei o nome dela. Você me contou, lembra? No dia em que nos conhecemos, naquela carona. Sei o nome, mas não sei quem ela é. Fala, Antonio!

— Não tenho que te dar satisfações. E não te contei nada, tenho certeza disso.

— Essa certeza não é uma virtude, é um vício. Está na *Gaia Ciência*. Não é o melhor livro do Nietzsche, mas você deveria ter lido.

— Você é pretensiosa, garota. Continua querendo me ensinar. Li a obra completa de Nietzsche antes de você entrar na escola primária.

— Leu, mas não entendeu. Senão saberia que a verdade é um erro sem o qual não conseguimos viver. É inevitável, temos que encará-la.

— Você não sabe nada sobre a verdade.

— Então me ensina.

Pastoriza caminhou em direção à sala. Discutir filosofia na cozinha beirava o ridículo. Se tivesse que escolher um livro de Nietzsche, seria *O crepúsculo dos ídolos*. Era isso que devia fazer com "suas duas Nicoles": deixar de idolatrá-las, despojá-las dos significados místicos, sobrenaturais, glorificadores. Devia parar de pensar nelas como mulheres especiais, pois assim significariam apenas o que de fato eram: humanas, demasiado humanas. Embora custasse a acreditar que alguém demasiado humana pudesse ser tão desumanamente maquiavélica. A frase *Então me ensina* era desconcertante, quase um xeque-mate. A garota estava muito acima da média.

— Você é o professor, Antonio. Só estou pedindo que me ensine.

— Não posso te ensinar o que você já sabe.

— Então me conte o que eu não sei.

— Há coisas que não se contam nem para si mesmo.

Era um aforismo russo do século dezenove, cunhado pela melhor cepa literária. Usava-o nas situações mais incômodas, geralmente ligadas à angústia por reviver histórias passadas e transformá-las em presente.

— Não sei aonde você quer chegar, Nicole. Já conheço a tua erudição, não precisa ficar se mostrando pra mim. Por que falar comigo como se estivesse numa obra literária? Para de fazer citações. Isso aqui não é um romance acadêmico, daqueles em que se aprende filosofia por tabela!

— E o que é, então?

— O teu problema é achar que a literatura tem todas as respostas. Só que a literatura tem a pretensão de ser original, enquanto na nossa vidinha cotidiana tudo é muito previsível. As coisas se repetem, são redundantes. Ninguém vive as histórias de James Joyce ou Oscar Wilde. Aqueles personagens brilhantes, que dizem frases geniais, só existem na ficção. No mundo real, vivemos de clichês mesmo.

— Gosto dos teus clichês.

— Você disse que não gostava.

— Não estou falando dos teus livros. Estou falando de você.

— Você não me conhece.

— Conheço, sim. Você é Antonio Pastoriza, quarenta e seis anos, psicanalista, escritor, bonito e muito gostoso — disse Nicole, rindo de si mesma. — Um sujeito sociável que cultiva o gosto pela solidão, o que é tremendamente contraditório. Se estivesse no meu divã, diria que você exercita a autossabotagem. Por isso está sozinho. Quando as coisas começam a ficar boas, você dá um jeito de estragar. Freud tinha um nome pra isso: pulsão de morte.

— Lá vem você de novo com citações. E logo de quem! Isso não é verdade: eu não faço nenhum tipo de sabotagem. Nem comigo nem com ninguém.

— Faz, sim. Basta digitar o teu nome na internet. A quantidade de desavenças públicas é inacreditável. Você comprou briga em todas as áreas em que trabalhou. Tuas opiniões desagradaram muita gente. Você conseguiu a proeza de unir desafetos e ficar sozinho. Por quê, Antonio?

— Porque não tenho vocação pra namoradinha do Brasil. Não faço o tipo fofo, aquele que agrada a todo mundo. Digo o que penso, só isso.

— E ao dizer o que pensa destrói qualquer relação. É o que está fazendo comigo, Antonio? Você pensa que sou culpada e tenta me destruir, me afastar? Foi por isso que armou aquela cena lá na clínica?

— Que cena?

— Não sou cega! Todo mundo viu quando você perguntou pelos meus horários na secretaria. Depois, apareceu com aquele policial no consultório onde eu deveria estar. Só juntei as peças de noite quando fui à mansão e o Arlindo me disse o horário em que os caras mandaram o pedido de resgate. Isso é um absurdo! Que você me culpe por trair o Marcus é uma coisa, mas acreditar que eu planejei um sequestro é outra! Não tem sentido, Antonio!

— Não acredito mais nisso.

— Mas acreditou.

Nicole o manipulava com a própria indignação. E não precisava se colocar no papel de vítima. Bastava fazê-lo perceber os julgamentos injustos, a paranoia. Estava plena, absoluta. Uma confiança quase religiosa perpassava seu sorriso meio de lado enquanto falava.

Parecia ter a situação sob controle, até reparar nas estantes vazias da sala e nos caixotes com livros perto do bar, onde, no lugar das garrafas, jaziam pedaços de jornal velho. Havia candelabros cobertos com plástico e quadros embrulhados com papelão. Duas malas cheias estavam empilhadas ao lado da porta, junto com alguns objetos que ainda não haviam sido embalados.

Sentiu o golpe, mas fez-se de desentendida. Aquele idiota recalcado estava fugindo! Fugindo de verdade! Fisicamente. Geograficamente. Covarde filho da puta! Por que ficar de conversinha se já estava decidido a partir? Teve vontade de ser mais violenta do que ele, e não apenas de forma verbal. Precisava mordê-lo, arranhá-lo, bater naquela cara bonita. Como ele era bonito! Agora ainda mais, como um soneto incompleto, uma escultura neoclássica sem os membros, algo inacabado e, por ser inacabado, muito mais bonito.

Não tinha um rosto geométrico. Era masculamente desproporcional: os olhos grandes, as maçãs salientes, o queixo pontiagudo e rachado, a barba meio grisalha com falhas visíveis em ambos os lados. E os sulcos laterais denunciando a idade, o detalhe preferido de Nicole. Um rosto perfeito de um homem perfeito. Pastoriza era perfeito. Tão perfeito que não o veria mais.

— Vou voltar pra Espanha. Não posso mais ficar aqui. Meu voo está marcado pra depois de amanhã.

Então era o fim. Antes mesmo do começo. O fim. O que poderia fazer? Segurá-lo pelo pescoço? Encenar um escândalo? Suplicar para que ficasse? Dizer: eu te amo, não me abandone! Isso seria pior do que perdê-lo. Porque perderia a fleuma, a postura altiva, a verve crítica que o conquistara. E, nesse caso, o perderia de qualquer jeito.

— Não há encantamento na hora da partida — ele disse. E ela ficou em silêncio.

O jogo de aforismos de repente perdera o sentido. Não conseguia elaborar uma resposta à altura, uma frase de efeito, algo genial que a trouxesse de volta ao controle. Pela primeira vez, não sentia qualquer prazer na superioridade intelectual. Naquele instante, gostaria de ser uma dona de casa siciliana, com as ancas largas, a lasanha no forno e as crianças na barra da saia. Queria não ter pensado na carreira, no mundo, na sociedade capitalista. Queria não ter se filiado a um partido de esquerda. Queria não ter brigado com a família. Queria não ter lido Nietzsche, Foucault, Marx, Freud, Deleuze, Lacan. Queria não ter ombros largos. Queria não ter opinião.

Mas tinha. E era estranho pensar como tudo que representava tanto valor poucos minutos antes agora não passava de névoa, espuma de chuveiro, pó.

Deslizou o corpo pelo sofá, segurando no braço, para não cair. Olhou reto, certeira, nos olhos de Pastoriza. Uma lágrima insistia em romper o bloqueio emocional, mas ela a segurou, refez o dique. Enxugou o canto, discretamente, dilatando a pupila para disfarçar. Ele se aproximou, curvou o corpo, tentou beijá-la na testa, mas ela o afastou. Beijo na testa era pior do que separação.

A luz da manhã atravessava as cortinas transparentes. O reflexo no espelho mostrava as amendoeiras do Jardim Oceânico e os cabos de alta tensão com placas em forma de caveira alertando para o perigo. Nicole esfregou os joelhos, apoiou os cotovelos nas pernas e abaixou a cabeça. Foi um movimento rápido, abruptamente interrompido por uma tomada de consciência que a fez virar o pescoço para cima, lembrando que a altivez não podia ser perdida.

O telefone tocou. Pastoriza pediu licença e foi até o quarto para atender. Ela levantou, deu uma última olhada no apartamento e saiu pela porta da cozinha. Ao ganhar a rua, não olhou para trás. Tinha memória seletiva, não precisava da imagem da fachada para lembrar do prédio com janelas verdes. Assim como não precisava rever o homem alto, de barriga saliente e rugas na cara. Ficaria com as lembranças táteis: as mãos, os dedos, a temperatura e, principalmente, a umidade.

A vida sem Antonio Pastoriza seria uma estiagem.

26. Narcisismo

Os pacientes de Raquel marcaram a consulta para o primeiro horário da tarde, que era o momento mais inconveniente para todos os tipos de terapia. Nas quintas-feiras, os funcionários da clínica universitária utilizavam o tempo de almoço para uma espécie de confraternização semanal e fechavam a secretaria. Os alunos que atendiam às treze horas precisavam esperar na pequena sala com televisão ao lado da entrada dos consultórios. Não havia espaço nem para revisar as anotações e se preparar para a sessão.

O caso ainda era o do feijão derramado. O marido já decidira se separar, mas a mulher se agarrava à análise como última oportunidade para manter o casamento. Ligara diretamente para o celular de Raquel pedindo que o atendimento fosse urgente, embora ainda tivesse que convencer o cônjuge a comparecer. Àquela altura, a palavra *cônjuge* já não causava estranhamento. Representava fielmente a distância entre o casal, era o signo da frieza, da burocracia. E se ela precisava convencê-lo a vir, não havia a menor chance de sucesso.

Mesmo sabendo disso, Raquel aceitou atendê-los, ou atendê-la, que era o acontecimento mais provável. A mulher viria sozinha, desesperada, lamentando a incapacidade de arrastar o marido pela gola da camisa. Diria que ele era um babaca, insensível, machista, idiota. Reclamaria da arrogância, do individualismo, da sogra, da cunhada, da higiene precária, do futebol de domingo, do jogo de pôquer, da fórmula um, da inapetência. Nada muito diferente das vinte sessões anteriores, e que também se repetia nas sessões dos outros casais, em outros consultórios, com outros terapeutas e outras técnicas. Astrologia e caldo de galinha eram mais surpreendentes do que aquele enredo.

O telejornal veiculava uma reportagem sobre culinária. Meia cebola picada, tomates frescos, coentro, creme de leite e sal a gosto. O refogado serve tanto para a vitela como para o pernil. Não se preocupe com as entradas. Saladas simples: de preferência lentilha rosa e camarão com aipo. O molho chutney de ameixas acompanha o terrine, e o pistache é servido com as codornas. De sobremesa, o tradicional romeu e julieta, com pequenas variações europeias: sorvete de queijo francês e goiabada alemã derretida.

O que era aquilo? A ceia de Natal da Jacqueline Onassis? O almoço do príncipe Charles? Existia goiabada na Alemanha? Nem adiantava trocar de canal, pois a antena não sintonizava outras emissoras.

Já passavam vinte minutos do horário marcado e nenhum sinal dos pacientes. A sala estava deserta. O único ruído era o da televisão. Notícias sobre a crise econômica, entrevistas de políticos acusados de corrupção e dicas de maquiagem para festas. Uma especialista em rímel ensinava a não borrar os olhos durante o inevitável choro nas cerimônias de casamento. As imagens mostravam madrinhas emocionadas enxugando o rosto com um lenço especial, cuja capacidade de absorção filtrava o cosmético, impedindo as indefectíveis manchas negras.

Uma e meia da tarde. Raquel se irritou com a demora. Levantou-se da poltrona, deu duas voltas pela sala e foi até o pátio. Outro deserto. Nem os funcionários haviam retornado do almoço. Pelas regras da clínica, tinha que esperar até o final do horário. Os pacientes podiam ter problemas com o trânsito ou simplesmente sabotar a terapia chegando com muito atraso. Cabia ao terapeuta interpretar os motivos e estabelecer ligações com o tratamento.

Voltou para a sala. O comercial de margarina mostrava uma família magra e feliz. Até o cachorro esbanjava saúde. Margarina é melhor do que botox, pensou, ao ver a pele lisa da modelo quarentona, que mastigava uma torrada gordurosa sem demonstrar qualquer sinal de rugas de expressão. A vinheta anunciou a volta do telejornal. O apresentador fez uma cara de mau, estilo Clint Eastwood, antes de ler a manchete principal do bloco: "*Um dos maiores empresários brasileiros confessa a participação em diversos escândalos financeiros. E envolve deputados, ministros e até um pastor anglicano.*"

A primeira imagem da matéria era um close em Arlindo, que estava rodeado de microfones. No canto da tela, fotos de viadutos, pontes e prédios públicos que foram superfaturados. Os rostos do reitor e do Secretário de Segurança também apareceram. Raquel jogou o corpo para trás, arregalou os olhos e usou o controle remoto para aumentar o volume.

"*A estimativa do Ministério Público é de que o esquema tenha desviado mais de oitocentos milhões de reais nos últimos dez anos. O operador político era o deputado Fonseca Soares, cuja filha trabalhou como secretária na construtora Gitano, que pertence ao empresário Arlindo Tornitelli. Fonseca tem um patrimônio* avaliado em um bilhão de reais e é conhecido na alta sociedade carioca pelas festas que promove na cobertura onde mora, na Barra da Tijuca, bairro nobre da cidade."

Bairro nobre? Desde quando a Barra tinha esse título? Só os emergentes moravam em coberturas. Esses repórteres eram uns ignorantes! E o doutor Arlindo, hein? Bem que merecia a humilhação! A mulher dele também. A família toda, menos o Marcus. Meu Deus, o Marcus! E agora? Será que... Os caras vão... Mas... O fluxo de pensamento foi interrompido pela imagem da filha do deputado.

— Que é isso?! — gritou para si mesma ao ver o rosto de Nicole na TV. Então, a safada era filha de um grã-fino!? Corrupto, é verdade. Mas, ainda assim, grã-fino. Agora entendia a anuência da família. Marcus não namorava a secretária do patrão, namorava um passaporte para a alta sociedade. Aumentou ainda mais o volume:

"*Nicole Soares, filha do deputado, trabalhou durante quatro anos na Gitano e é namorada de Marcus Tornitelli, herdeiro da construtora, que está em poder de sequestradores há dez dias. O pai dele contou que a confissão pública foi uma exigência dos bandidos, mas não soube dizer como eles tiveram acesso a essas informações. O empresário se recusou a dizer se haverá ou não pagamento de resgate.*"

A reportagem era longa, quase cinco minutos, o que era uma imensidão dentro do telejornal. A imagem começava a mostrar a faculdade. Primeiro o pátio, depois a clínica e, em seguida, a reitoria:

"O reitor da Universidade Anglicana era o responsável pela lavagem do dinheiro. Ele usava o certificado de filantropia para gerir recursos provenientes de doações sem pagar impostos e sem prestar contas. Só no ano passado, a instituição recebeu cento e vinte milhões de reais, mas apenas meio por cento desse total entrou nos cofres da universidade. O restante foi aplicado em fundos de investimento nas Ilhas Cayman."

Ainda não compreendia bem o esquema. Essas coisas financeiras eram complicadas mesmo. Mas não tinha dúvidas de que Nicole e Arlindo estavam acabados. Era a vingança perfeita, o fim que eles mereciam, embora não conseguisse usufruir do momento. Por algum motivo que desconhecia, o sorriso travou, os dentes cerraram, a felicidade não veio. Contraiu o rosto e deu uma olhada derradeira para a TV. Não se sentia vingada.

Por instantes, pareceu ostentar um semblante de arrependimento. Um vazio inexplicável invadia-lhe o corpo. A pele áspera, a boca seca. O estômago a remoer uma acidez extemporânea, quente, oca. Apertou o botão off do controle remoto e ficou em silêncio durante um tempo incalculável, como são os tempos em que o pensamento divaga, desaparece, deixando um vácuo no espaço.

O toque no ombro direito a tirou do transe. Pensou que fosse um de seus pacientes e tratou de se recompor. Balançou a cabeça, alisou o cabelo, ergueu os olhos, molhou os lábios com a língua, ajeitou a blusa e se levantou. A mulher à sua frente vestia um tubinho azul colado ao corpo, tinha cabelos negros escorrendo pelas costas e traços orientais misturados à pele bronzeada, o que produzia um contraste incomum. Usava um par de brincos em forma de estrela, calçava sapatos caros e sorria com leveza, deixando à mostra pequenas covas nas laterais do rosto. Não era sua cliente.

— Boa tarde. Você é a Raquel?

— Sou eu, sim. Desculpe, nós nos conhecemos?

— Não, ainda não. Prazer. Eu sou a Anabela.

O nome era familiar e combinava com a moça. Não apenas pela óbvia alusão à beleza, mas por uma espécie de aliteração interna que juntava as vogais para fazer referência à singularidade. Qualquer que fosse o anagrama, sempre começaria por um artigo definido: A Ana. A Bela. Um jogo de palavras que incitava a imaginação infantilizada de Raquel, cujos conhecimentos linguísticos eram rudimentares. Nunca estudara as figuras de linguagem, nem mesmo nas aulas sobre Lacan. Tinha dificuldades para diferenciar metáforas, metonímias e aliterações. Mas gostava muito das hipérboles e anacolutos. Utilizava-as em situações de dúvida, inconscientemente, como elipse de si mesma, o que confundia o entendimento da mensagem.

— Se você veio marcar consulta, vai ter que esperar, querida. Os funcionários? Do almoço ainda não voltaram — ela disse, virando o pescoço para o lado e usando um tom de voz dissonante que enfatizava a última sílaba de cada frase.

— Não vim marcar consulta. Sou paciente do Marcus. Faço terapia de casal. Queria saber se vocês têm alguma notícia dele. Fico em casa, angustiada, sem saber de nada. Não estava mais aguentando. Já passaram dez dias. Você sabe de alguma coisa?

A voz infantil desapareceu subitamente. O exagero e a inversão da sintaxe também. O choque pelo que acabara de ouvir a trazia de volta à realidade, pois mexia diretamente com seus traumas. Nada tinham a ver com fantasias, recalques, transferências e outros conceitos generalizantes da psicanálise. Eram dela, apenas dela, narcisicamente ligados a ela. Não se aplicavam a mais ninguém. Lembrou das ideias de Carl Rogers, pioneiro da teoria psicológica humanista, para quem o tratamento deveria ser centrado nas demandas individuais do cliente e não em princípios teóricos universais.

A demanda de Raquel estava de frente pra ela, emoldurada por um vestidinho azul e cabelos negros. Como poderia ter esquecido? Claro! Tudo começava a ficar claro. Por isso o nome soava forte, marcante. Anabela era a paciente que tinha um caso com Marcus e fora fotografada por Karen na sala de espelhos. Era a garota que transava com ele. Era a traíra, a safada.

Encarou o encontro como uma oportunidade para enfrentar o trauma, esclarecer as dúvidas, libertar-se.

— Como você sabia meu nome?

— Sei tudo sobre você. O Marcus me contou cada detalhe, do começo ao fim. Conheço tua história, teus medos, tuas angústias. Ele te descreveu com tanta precisão que não foi difícil te identificar.

— O Marcus falava sobre mim com você?

— Muito. Falava muito.

— Mas ele era o teu terapeuta. Não deveria ser o contrário? Você é que tinha que falar da tua vida pessoal!

— A minha relação com o Marcus não era de terapeuta com cliente há muito tempo. Na verdade, tínhamos uma intimidade muito maior.

Raquel sabia disso, mas não quis interrompê-la. Anabela demonstrava uma empatia quase profissional, como se fosse ela a psicóloga. Parecia ter se preparado para aquela conversa. Estava segura, firme, convicta. Depois de puxar uma cadeira que estava ao lado da televisão desligada, sentou-se lentamente, cruzando as pernas com cerimônia, para marcar o movimento. Em seguida, fez sinal para que Raquel também sentasse e continuou a falar.

— Meu marido abandonou o tratamento logo na segunda sessão. Passei a vir sozinha porque precisava muito me abrir com alguém. Não aguentava mais o casamento, as obrigações, a família e tudo que vinha junto. O Marcus aceitou me atender quando viu o meu desespero. Mal conseguia falar, chorava o tempo todo, tinha até paralisia nas mãos. Um horror! Cheguei a ficar com placas vermelhas pelo corpo, de tanta angústia.

— E ele conseguiu te ajudar?

— No começo, não. Acho que ele tentava manter uma certa distância e isso me incomodava muito. Quase nunca se colocava, não dava opinião e insistia em me perguntar sobre meus pais. Só que o problema era com meu marido! Não tinha nada a ver com papai e mamãe. E eu não queria alguém imparcial. Queria uma pessoa que se posicionasse, que me desse conselhos.

— Ele estava apenas querendo ser neutro. Na verdade, estava seguindo o manual, as orientações técnicas de Freud — disse Raquel.

— Eu sei, mas isso não funcionou. Quase desisti da terapia. O negócio só começou a andar quando eu disse que ia embora. O Marcus tomou um susto com a minha decisão e decidiu mudar o tratamento.

— O que mudou?

— Em vez de falar de mim, começamos a falar dele. Dos problemas dele, das angústias dele. Enfim, da história dele. Foi aí que você entrou. O Marcus me falou da infância, da escola, da adolescência, da época em que vocês namoravam. Contou sobre a pressão da família, o aborto, a separação. Disse que você não merecia aquela humilhação e ainda se sentia culpado por tudo.

— Culpado?

— Culpado por não ter enfrentado o pai, por se omitir. Por deixar que a mãe controlasse a situação. Ele carrega essa culpa há cinco anos. Não consegue fazer nada sem pensar nisso.

— Vocês não conversaram sobre a namorada atual dele?

— Muito pouco. Ele falou nela algumas vezes, mas nada que eu me lembre. O negócio era contigo mesmo.

— E como a minha história te ajudou?

— Sei lá. É meio complicado. Pra começar, com todo aquele clima de confissão, de intimidade, a gente acabou se envolvendo. Tivemos um caso, viramos amantes. Meu Deus!, essa palavra é tão cafona! Mas era isso mesmo. Cada vez que a gente se encontrava, batia um tesão louco. Não dava pra segurar a onda nem no consultório. Uma coisa, menina!!!

Raquel já começava a não gostar da conversa. Os detalhes eram desnecessários. Ficou impaciente.

— E daí?

— Daí que eu percebi que estava fazendo com o meu marido o mesmo que o Marcus fez com você. Não era apenas uma traição, era uma covardia. Em vez de me dedicar a ele e de tentar resolver nossos problemas, ia pra cama com o meu terapeuta pra ficar feliz. Não podia fazer isso.

— Então você parou de sair com o Marcus?

— Não, claro que não. Foi exatamente o contrário. O problema é que a relação com meu marido só ficava boa quando eu saía com o Marcus. Se eu passasse uma semana sem vê-lo, tudo desmoronava lá em casa. Você tá me entendendo?

— Não, não estou.

— É o Marcus que sustenta a coisa toda, Raquel. Não é difícil de entender! Cada vez que saio com ele, chego em casa mais disposta, de bem com a vida. Tenho vontade de olhar o dever das crianças, de fazer o jantar, de cuidar do meu marido. Tudo é muito simples. Se eu estou bem, quem está comigo fica bem. Tudo depende de mim, da minha satisfação, da minha alegria, do meu prazer. E o Marcus é o responsável por esse prazer.

— O teu ego é enorme, Anabela.

— Não é egoísmo, Raquel. Penso apenas no meu marido e nos meus filhos. A traição é a forma mais sincera de altruísmo.

* * *

Onze horas da noite. A Avenida Brasil estava quase deserta. Poucos carros cruzavam a maior via expressa da cidade, com sessenta quilômetros de extensão. Naquele horário, nem a polícia se arriscava na travessia. As quarenta e duas favelas da região eram dominadas por quadrilhas de traficantes armados com fuzis, metralhadoras e até bazucas. Armas de guerra, de uso exclusivo do exército, mas que chegavam com facilidade aos bandidos cariocas.

Da Favela da Maré à Favela do Muquiço, passando pelo Complexo do Alemão, mais de trezentas mil pessoas se espremiam em barracos e viviam sob lei marcial, a lei do tráfico. Boa parte da avenida fora construída em zona pantanosa, muito próxima ao mar. Alguns pontos eram estratégicos, como, por exemplo, as ruelas que desembocavam na Baía de Guanabara e serviam de porto improvisado para a chegada de pequenas embarcações com drogas. Quem dominasse esses pontos tinha o controle da venda de entorpecentes no Rio de Janeiro. Por isso havia guerras quase diárias. Somente bandos muito organizados conseguiam manter suas bases e evitar a invasão dos rivais.

Rogério era um delegado experiente, conhecia bem o território. Sabia que o local marcado para a entrega do resgate fornecia uma segurança cartográfica natural para os sequestradores. Não só pela geografia peculiar da avenida como, principalmente, pela proteção de quadrilhas aliadas, que deveriam levar uma parte do dinheiro. Mesmo assim, posicionou seus homens para o flagrante: dezoito policiais, divididos em três grupos e com armamento ainda mais pesado que o dos traficantes. Sem falar nos carros de apoio e no helicóptero conhecido como Águia, que seria acionado assim que o delegado mandasse.

A passarela de Manguinhos ligava a Fundação Oswaldo Cruz — importante centro científico onde se produzem vacinas e soros — à Favela da Maré. De acordo com as instruções enviadas por e-mail, o carro com o dinheiro deveria parar bem ao lado da primeira escada, na pista em direção à Zona Oeste. Rogério e três detetives estavam escondidos em uma viatura à paisana, estacionada a poucos metros de distância. Dali, o delegado podia observar a movimentação e comandar as equipes, além de fugir rapidamente, caso fosse necessário.

Um dos policiais mascava um chiclete de hortelã, deixando o veículo empestado com o cheiro. Mas o que incomodava mesmo era o ruído repetitivo da goma se deslocando entre os dentes.

— Não dá pra jogar esse negócio fora, detetive? — perguntou Rogério.

— Pois não, delegado. O senhor me desculpe. É que o chiclete me acalma.

— Te acalma, mas me deixa nervoso. Então, empatamos.

— Já joguei fora.

— Vê se fica ligado! Você é um dos poucos aqui que conhece bem o pessoal da Maré. Se aparecer um suspeito, dá o sinal.

— Pode deixar, doutor. Tô ligado. Mas ainda acho que é a quadrilha da Rocinha que vai aparecer. Foi o senhor mesmo que disse estar desconfiado do pessoal de lá por causa da morte daquela estudante que era amiga do garoto.

— Também acho, detetive. Mas a segurança da operação é feita pelos traficantes da área. Então, são eles que chegam na frente.

— Se é assim, já deviam ter chegado, doutor. São onze e cinco. O carro com a grana também tá atrasado.

— Isso tá muito estranho mesmo. Tudo muito calmo, sem movimentação. Chama a equipe dois no rádio.

Do prédio da Fiocruz, a equipe dois tinha uma visão panorâmica da avenida. Atiradores de elite estavam posicionados no telhado e três motoqueiros podiam descer a rampa de acesso rapidamente para fazer as interceptações. Havia também um cinegrafista profissional, cuja missão era garantir que todos os detalhes fossem gravados, evitando assim qualquer problema com a imprensa, que sempre dava um jeito de insinuar que a polícia ficava com parte do resgate.

Rogério também se preocupava com a atitude do Secretário de Segurança, que proibira a operação. Durante o dia, a mídia divulgara informações de que ele estava envolvido em escândalos financeiros com o pai de Marcus. Ao juntar os dois fatos, o delegado chegara à conclusão de que seu chefe poderia ter algum tipo de participação no caso. Não que tivesse planejado o sequestro, isso nem passava pela sua cabeça. Mas, ao dificultar o flagrante, talvez houvesse a intenção de esconder escândalos ainda mais graves.

Todas as equipes estavam avisadas de que trabalhariam em sigilo, sem a autorização da cúpula administrativa da polícia.

Como era um delegado que atuava na linha de frente, Rogério tinha o respeito de seus subordinados, que não viam nele um simples burocrata, mas sim um líder, o comandante. A experiência em combate incluía cursos na SWAT em Washington, no Mossad em Israel e até na Interpol. Mas nada se comparava ao enfrentamento nos morros do Rio, cuja guerra era franca, direta, homem a homem. De acordo com as estatísticas, morria mais gente no conflito carioca do que nas batalhas americanas do Iraque e do Afeganistão.

Dois homens se aproximaram da passarela. Um deles vestia um casaco de moletom comprido cujo capuz lhe cobria a cabeça. O outro trajava bermuda e chinelo, mas carregava um pacote embaixo do braço. Só podiam estar armados, pensou o detetive do chiclete.

— Olha ali, doutor. São eles, são eles.

— Calma! A roupa não quer dizer nada. Podem ser trabalhadores, gente honesta. Não vamos nos precipitar. Fui claro?

— Sim, senhor. Mas...

— Fui claro ou quer que repita?

— Sim, senhor. Mas...

— Mas o que, porra?

— Gente honesta anda com fuzil pela rua, doutor?

Pela lateral do casaco era possível ver a arma, um fuzil Sig Sauer, de fabricação suíça, com munição capaz de atravessar três corpos enfileirados. O homem de chinelo também havia desembrulhado o pacote e portava uma metralhadora Uzi, israelense.

Outros dois comparsas tomaram posição do lado oposto da avenida. E ainda havia mais quatro dando cobertura nas imediações. Uma motocicleta Honda CB 400 encostou na passarela. O homem de capuz ordenou que o piloto se posicionasse na contramão, a dez metros do local, com o farol desligado. O sujeito de bermuda subiu cinco degraus e deitou de bruços, com o dedo no gatilho.

— O que a gente faz agora? — perguntou o detetive.

— Nada. Vamos esperar.

Pelo rádio, Rogério mandou a equipe três, que estava escondida na favela, se aproximar lentamente, sem chamar a atenção. Seis homens se arrastaram pela mata e chegaram a apenas vinte metros da avenida. De onde estavam, podiam alvejar todos os bandidos em poucos segundos.

A equipe dois ficaria responsável pelos comparsas que estavam na cobertura e a equipe um daria o flagrante no momento em que o pagamento fosse entregue. A ordem era render os traficantes, mas, se eles reagissem, os policiais não precisavam nem pensar: estavam treinados para o confronto. Raramente desperdiçavam uma bala. Na Divisão Antissequestro, o disparo de um agente valia por dez de qualquer policial de outra delegacia.

— Equipe um, na escuta?

— Fala, doutor.

— Quando o carro chegar, vocês dão o bote. Se tiver reação, senta o dedo, OK? Mas não esqueçam de proteger o motorista. Fui claro?

— Alto e claro, doutor.

— Lembrem que o motorista é o pai do garoto. A segurança dele é nossa prioridade. OK? E vamos...

Rogério foi novamente interrompido pelo detetive do chiclete, que lhe puxou a manga da camisa e apontou para a passarela. Ele tentava balbuciar algumas frases, mas só conseguiu gaguejar as sílabas de uma palavra.

— Ca-ra-lho!

— Caralho o quê, porra?

— É o cara!

— Que cara?

O homem de casaco acabara de baixar o capuz e mostrar o rosto. Era o chefe do tráfico na Rocinha. Não havia dúvidas, qualquer habitante da cidade podia reconhecê-lo. Sua foto estava estampada nos jornais havia meses, graças à recompensa de dez mil reais oferecida pelo disque-denúncia. O que Rogério não entendia era por que ele estava comandando pessoalmente o recebimento do resgate. Suas bocas de fumo faturavam muito mais do que aquilo. Não precisava se arriscar assim.

— Equipe três, na escuta?

— Fala, doutor.

— Atividade aí, mermão! Olho no sujeito de casaco. Quero esse boneco vivo! Repito: quero o boneco respirando. Se tiver que sentar o dedo, manda na perna. OK?

— Pode deixar, doutor. A gente alivia esse aí.

— OK. É isso mesmo.

— Mas e os outros?

— Os outros pode mandar pra vala!

— Entendido.

O carro de Arlindo entrou na Avenida Brasil. Conforme as instruções dos sequestradores, os faróis estavam cobertos com fitas adesivas em forma de xis, o que facilitava a identificação. O pai de Marcus não estava nervoso. Tampouco tinha medo.

Em nenhum momento pensou em mandar outra pessoa para entregar o resgate. Achava que era o responsável pelo sequestro do filho, a quem negligenciara durante toda vida, e precisava cuidar pessoalmente do caso. Nos últimos vinte anos, sua única preocupação fora com o crescimento das empresas, com a montagem do cartel, como gostava de se referir aos negócios. Marcus nunca entrara na lista de prioridades. Nunca o levara ao parquinho, ao judô, ao treino de futebol. Nunca houve pipoca no circo, plateia no teatro da escola, reuniões no curso de inglês, brincadeiras de luta, domingos no Maracanã, conversas sobre a gostosa da esquina. Não conhecia a paternidade.

Quem se deixou vencer tão facilmente pelas exigências dos sequestradores não foi o bem-sucedido empresário Arlindo Tornitelli. Foi o pai com sentimento de culpa. Por isso não hesitou sequer por um instante em fazer a confissão pública e destruir seu nome e o de suas empresas. Estava convencido de que o sacrifício o reaproximaria do filho, fazendo-o perceber que, daquele momento em diante, poderia contar com o pai. Para os sócios e amigos, era um ideia ingênua, patética. Para ele, era a redenção. E, se fosse patética, melhor ainda.

O velocímetro marcava sessenta quilômetros por hora. Dirigia devagar simplesmente porque não estava acostumado a dirigir. Havia mais de quinze anos que não pegava no volante. Se o carro não fosse automático, não conseguiria nem sair da garagem. Pisava suavemente no acelerador, mas as freadas eram bruscas, faziam o pescoço balançar. Ignorava as setas e não tinha a menor noção de espaço, esbarrando diversas vezes no meio-fio. O ar-condicionado estava ligado, mas o vidro do carona permanecia aberto, conforme as instruções. Em cima do banco, a maleta com o dinheiro.

A poucos metros do viaduto, viu a moto na contramão. O piloto piscou o farol e fez sinal para diminuir ainda mais a velocidade. Arlindo tirou o pé, mas não usou o freio. O carro foi parando lentamente, até chegar ao local onde estava o homem do capuz arriado. No momento da aproximação, um dos comparsas pegou a maleta e correu em direção à moto que deveria entrar na favela. Os homens que estavam na cobertura fizeram uma espécie de corredor polonês para apontar o caminho. Havia apenas um poste de iluminação no local, o que dificultava a vigilância dos policiais.

A luz interna do carro estava acesa. No contraste com a escuridão, ela ressaltava ainda mais a expressão de horror estampada na face do motorista, agravada pela imagem do fuzil prateado se aproximando de seu rosto. Foram apenas alguns segundos: o chefe do tráfico levantou a arma e apontou para Arlindo, mas, antes de disparar, tomou dois tiros no joelho e caiu na rua.

Rogério o havia acertado.

— Fica parado! — gritou o delegado, como se alguém com duas balas no joelho pudesse ir a algum lugar.

— Filho da puta! Tu me acertou, seu verme! — respondeu o traficante, esticando o braço para pegar o fuzil, que estava ao lado do carro de Arlindo, cuja reação instintiva foi de se jogar no banco do carona.

Não houve tempo para alcançar a arma. Rogério disparou mais duas vezes, uma na mão direita e outra na clavícula. O sujeito se contorceu e rolou em torno de si, urrando para o alto. De todos os lados vieram tiros cuja procedência era impossível de identificar. Partiam dos policiais ou dos bandidos? Na dúvida, Rogério se atirou no chão e não revidou. Usava um colete simples, com proteção apenas para munição leve, o que, na prática, era inútil. Balas de fuzil riscavam a noite da avenida, como se fossem cometas privativos, criados no subúrbio carioca. Quando a equipe que estava na mata viu o delegado sozinho, no meio do tiroteio, invadiu a pista e acertou os homens que faziam a escolta do traficante. O sujeito de chinelo com a metralhadora Uzi não chegou sequer a usá-la. O bandido com a maleta morreu na entrada da favela. O motoqueiro levou dez balas de fuzil. Os atiradores de elite mataram os dois últimos, que montavam guarda do outro lado da avenida. Os vidros do carro de Arlindo se estilhaçaram, mas ele não sofreu qualquer ferimento.

O detetive do chiclete continuou na viatura, rezando pra tudo acabar.

27. Angústia

Já tentou imaginar o mundo sem você? Isso mesmo: sem a sua existência. Tudo está lá: seus pais, seus amigos, sua casa, seus móveis, suas calcinhas, seu creme antirrugas, sua gilete no chuveiro. Só que nada disso é seu porque você não existe. Mas, se você não existe, como consegue imaginar? Hein? Diz aí? Como é que se pensa sem existir? Qual é a consciência fora da consciência de si? Isso dá um nó na cabeça, né não? Reduz a gente a nada. Rien, nothing, neca de pitibiriba.

E esse negócio de *Big Bang*? Os cientistas dizem que o mundo surgiu aí, numa imensa explosão que deu origem ao universo. Mas o que havia antes? A pergunta simplesmente não faz sentido, dizem esses mesmos cientistas com cara de espanador e telescópio nos olhos, pois o tempo só começou nesse exato momento.

Tudo bem, a gente não entende, mas aceita. Dá então pra dizer onde foi essa explosão? Não, não dá. Por quê? Porque o espaço também surgiu no mesmo instante. Ou seja, ocorreu em todos os lugares ao mesmo tempo. Assim fica difícil! Não, na verdade é muito fácil: tudo estava concentrado num único ponto e passou a se expandir a partir da explosão. É isso: não foi explosão, foi expansão.

— Fácil pra quem, cara-pálida? Essa explicação confunde mais do que explica. Tá se achando uma especialista em física nuclear? — perguntou a imagem no espelho, nua, ainda molhada e idêntica a Nicole, como se fosse sua irmã gêmea.

— Você é uma ignorante. Quem estuda isso são os astrônomos, imbecil! Não os físicos — respondeu Nicole, a verdadeira (?), fora do espelho.

— Não me xinga, não! Vai ficar se ofendendo? Não tá vendo que isso é autoflagelo?

— Esse vocabulário não combina contigo. Desde quando você é racional?

— Desde que você começou a vacilar, queridinha. A coisa tava indo muito bem. Tudo planejado, certinho, sem furo. Até que você ficou gamada nesse professorzinho. Vai botar tudo a perder? Já esqueceu o que a gente passou pra chegar aqui? Ele não vale a pena. Já te deu um pé na bunda antes de te conhecer.

— Você não sabe nada sobre ele.

— Claro que sei. Eu estava lá. Vi aquele rostinho bonito e indeciso. Também vi as malas prontas, os livros na caixa, o papelão na estante. E ouvi o que ele disse: *hasta la vista*! Só não falou *baby* porque nunca assistiu a O *exterminador do futuro*. Eu vi, ouvi e senti. Eu estava lá, *baby*!

— Não era você que estava lá. Era eu.

O espelho ficou embaçado e a imagem ameaçou desaparecer. Nicole deixara a torneira de água quente aberta, permitindo que a fumaça tomasse conta do banheiro. Mesmo assim, não conseguiu se livrar daquela companhia incômoda, já que a voz continuava a reverberar pelos azulejos.

— Sua otária! Morrendo de amores por um cara que vai embora. Que não dá a mínima pra você.

— Quem disse que ele não dá a mínima?
— E precisa dizer? Ele vai pra Espanha! Tá vazando, queridinha! Vai te deixar na mão, abandonada, sozinha.
— Isso é medo, só pode ser. Ele tem medo. Eu sinto.
— Sente porra nenhuma! Desde quando você sente alguma coisa por alguém? Esse professorzinho é que nem o Marcus: só serve pra satisfazer teus caprichos.
— Eu gostava do Marcus.
— Gostava nada. Você usou o garoto pra se vingar do teu pai. Só isso.
— Não é verdade. Eu gostava dele, queria ter uma família com ele. Adorava o jeitinho tímido, as olheiras fundas, as sobrancelhas pra baixo. O Marcus era fofo.
— Nãoooooo! Fofo, não! Não dá pra aguentar esse adjetivo de patricinha. Qual é? Para de me enganar e de se enganar!
— Só me decepcionei com o Marcus, nada mais. Fiquei puta com aquela história de defender a Raquel.
— Agora, sim. Agora tô te reconhecendo. O garoto é um safado. Ele tava de caso com a Raquel. Prometeu que ia casar contigo, mas fugiu da raia e ainda te traiu! Lembra? Ele nem te beijava mais. Só ficava naqueles estalinhos sem graça. Ele também ia te largar. Nós sabemos disso. Repete comigo: Filho da puta. Lentamente: filho da puta. De novo: filho da puta.
— Não, não, não! Ele tinha o direito de não querer casar comigo. Eu é que invadi a casa dele e deixei minhas roupas no armário. Tenho culpa nessa história — disse Nicole.
— Uma sequestradora com crises de moral! Que idiota! — respondeu a voz.
Fechou a torneira. Quando o vapor se dissipou, Nicole dividia a pasta de dente com a imagem no espelho. A escova per-

corria os dentes caninos, mas não dava pra saber qual era o lado da boca. A espuma branca escorria pelos cantos, como se fosse uma sessão de exorcismo. A imagem continuava falando:

— Você não queria casar com o Marcus. Só queria usar o garoto pra se aproximar do Arlindo e descobrir as falcatruas que ele tinha em sociedade com o teu pai.

— Não precisava disso. Fui secretária dele. Podia ter feito tudo isso sem me aproximar do filho.

— Muito louca essa tua cabeça, queridinha! Então diz aí: por que você sequestrou o garoto?

— Não sei, porra! Quer dizer: não sequestrei ninguém! Não sei! Não sei! Para de me questionar! Vou quebrar a tua cara se continuar com isso. Você é só um espelhinho de merda. Acabo contigo rapidinho!

— Assim que eu gosto. Mostra quem você é de verdade. Criminosa, queridinha. Isso é o que você é. Botou o moleque na mão dos traficantes. Assim, matou três coelhos, né não? Três. Você se vingou do Marcus porque não queria casar, do Arlindo porque armou pra cima de você e do teu pai pelo que fez a vida toda.

— Tá maluca? Fica inventando coisa pra que, hein? Não fiz nada. Tô quieta no meu canto. Você é que vem com essas histórias podres. Me deixa em paz!

— Fica em paz, então. Vai lá! Quero ver quanto tempo você aguenta! Vê se consegue se entender sem mim. Duvido! Você sempre me chama. É incapaz de tomar decisões sozinha. Sou eu que te carrego, queridinha! Sou teu corpo e tua alma! — disse a imagem no espelho, enquanto compartilhava a água fria para enxaguar a boca.

O teto de gesso ainda estava úmido. Pequenas gotas intermitentes caíam no chão, o que deixava o piso escorregadio. Ao se afastar da pia com violência, Nicole levou um tombo e abriu o supercílio. A imagem no espelho dava gargalhadas, enquanto ela tentava conter o choro e se recompor. Não podia vê-la, mas a ouvia com nitidez. Apoiou-se na privada, usou a toalha pendurada para se levantar e voltou a encará-la.

— Você não me assusta! Ainda vou me livrar dessa tua cara nojenta!

— Como? Da mesma forma que se livrou da Jurema?

— Tá falando do quê?

— Não se faça de desentendida. Que ideia foi aquela de mandar as fitas junto com o corpo da Samantha? Arrasou, hein! Acabou com a professora!

— Cala a boca! Não matei a Samantha. Você sabe disso.

— Não matou, mas mandou os caras colocarem as fitas de sacanagem no carro, ao lado do corpo. Grande sacada! Você foi genial! E vou te falar: isso é que foi justiça. A Jurema era a mais safada de todas. Onde é que já se viu? A supervisora da clínica trepando no consultório! Ainda bem que o Marcus te contou tudo e deu tempo dos moleques pegarem o material na hora do sequestro. No final, você acabou fazendo o que ele queria: desmascarou a bruxa.

— Não sei se fiz bem.

— Ih! Esqueci: o Marcus também trepava no consultório. Então, queridinha: mais um motivo pra botar o moleque no cativeiro.

— Não botei ninguém no cativeiro, porra! Quantas vezes vou ter que dizer isso? Tá me acusando de quê? Não sequestrei nem ajudei a sequestrar ninguém. Por que você tá fazendo isso comigo? Não fiz nada. Sou inocente.

— Que bonitinho! A menina inocente do Leblon! Bonita, milionária e inteligente. E com consciência social. Quase esqueci que você é filiada a um partido de esquerda. Grande patriota! Uma heroína revolucionária! É assim que você quer que te chame?
— Sou revolucionária mesmo! E o Carlinho também seria se não tivesse aquele pai fascista!
— Carlinho? Que Carlinho? Você quis dizer Marcus, não foi?
— Não. Tô falando do Carlinho, meu marido.
— Ih, você tá ficando pior do que eu! Pirou na batatinha, querida? Você é solteira. Carlinho é o meu marido, não o seu! Vai querer me sacanear?
— Você é que é louca! Não vai me roubar de mim! Eu sou eu, você é você e ponto. Não adianta me perseguir.
— Deu curto nessa cabecinha, foi? Você não tá falando coisa com coisa! Cadê a garota culta, leitora de romances? Nem a tua linguagem empolada é a mesma! Não tô te reconhecendo, Nicole!
— Não sou Nicole. Meu nome é Olga, porra!
— Puta que o pariu! Chama um psiquiatra, pelo amor de Deus! A garota tá surtando!
— Cala a boca, imbecil!
— Se eu conseguir sair desse espelho, vou aí e te dou umas porradas na cara pra ver se você volta! Não adianta me xingar, Nicole. Quem faz isso sou eu.
— Já disse que meu nome é Olga!
— Tá bom! É Olga, é Clara, é Iara, é Rosa. Já sei: todas heroínas de esquerda. Todas mulheres comunistas que morreram pela causa. Então é isso: a menina do Leblon é comunista de carteirinha? Se liga, queridinha! Essa história não tem pé nem cabeça.

Não é verossímil, entende? E veio logo de você, que gosta tanto de literatura, que conhece literatura! Não vê que ninguém vai conseguir engolir esse enredo? Não tem leitor pra essa merda! Teu livro não vai vender, minha filha!

— Desde quando a loucura é verossímil? Se fosse verossímil, não seria loucura.

— E desde quando os loucos falam sobre a loucura? Se falassem não seriam loucos. E você é louca, Nicole.

— Porra, eu não sou Nicole.

— OK! OK! Você é Olga, mulher de Prestes. Clara, mulher de Marighela. Iara, mulher de Lamarca. Rosa, mulher de Liebknecht. E o primeiro nome de todos eles era Carlos. Ou seja, Carlinho para os íntimos. Você é ridícula! Aliás, como toda a esquerda! Que história ridícula, Nicole!

— Meu nome não é...

— Ridícula e machista! Por que você escolheu as mulheres dos heróis e não as heroínas de fato, as protagonistas?

— A Rosa Luxembugo foi protagonista. O Karl Liebknecht era apenas o marido dela. Na verdade, como todos os outros. As mulheres se apaixonaram por eles porque eram maridos fiéis, revolucionários, libertadores. Eram maridos perfeitos.

— Que papinho brabo! Sai daqui e vai correndo pro Pinel. Teu lugar é no hospício, garota!

— E o que você entende de loucura?

— Convivo com você, não convivo? E quantos pacientes atendemos juntas lá na clínica universitária!? Só maluco, né não? Aquele pessoal é doente, queridinha.

— Gente louca de verdade. Doidinha, doidinha. Dá até medo de pensar. Mas a gente se divertiu com os malucos, não foi?

— Muito. Principalmente no jogo de esconde-esconde quando o Pastoriza tentou dar o flagra na gente.
— Essa foi a melhor de todas.
A imagem no espelho abriu um largo sorriso. Nicole pegou o creme no armário e o dividiu com ela, fraternalmente. O sangue no supercílio começava a coagular.
— Amigas?
— Amigas.
— Mas vamos combinar: não tive nada a ver com o sequestro. Eu juro.
— Tudo bem, eu acredito. Mas quem disse isso: você ou eu?

* * *

Virgínia e Bibiano dividiam uma garrafa de Chateauneuf du Pape, um vinho cujo preço era até baixo para a nova rainha do morro. Com o dinheiro que ganharia vendendo drogas na faculdade, poderia comprar caixas das melhores safras do mundo, incluindo as francesas. Tinha o monopólio do negócio, era a primeira-dama da Rocinha. Ninguém se atreveria a fazer concorrência.

Não temia que o namorado traficante a flagrasse em casa com outro homem. Sabia que ele estava ocupado, resolvendo a *parada do Marcus*. Àquela altura, conhecia bem os negócios da "firma", e não ficara surpresa com a participação dele no sequestro. Só não conseguia entender a sociedade com Nicole. Custava a acreditar que a namorada do garoto estivesse por trás de tudo.

As taças eram de cristal, coisa fina. Para acompanhar, queijo brie e fois gras. Iguarias cuja textura agradavam ao fino paladar de Bibiano, que se espantara com a sofisticação recém-adquirida.

Obviamente, ele não ignorava os motivos da repentina ascensão na carreira informal de Virgínia. Isso até o excitava. Só não esperava tanto luxo. Queria apenas se divertir, foder, jogar, tomar um porre. Precisava esquecer que Jurema estava presa. Ou seja: não tinha ilusões sobre a amante. Conhecia muito bem o tipo de pessoa com quem estava lidando.

— Você acha que sou esquizofrênica, Bibiano?

— Não, Virgínia. Você é psicopata — ele disse, em tom jocoso, brincando.

— Qual é a diferença? — ela perguntou, séria, sem entender a brincadeira.

— O esquizofrênico vive fora da realidade. Ou, pelo menos, possui realidades paralelas. Ele tem alucinações, delírios, fica vendo coisas, ouvindo vozes.

— Sei. É aquele cara que acha que é Napoleão.

— O cara não acha que é Napoleão. Ele tem certeza. Ele vive como Napoleão, pensa como Napoleão e age como Napoleão. E, mesmo que uma parte dele lute contra isso, o delírio acaba vencendo. Não adianta tentar convencê-lo do contrário.

— E o psicopata?

— O psicopata é exatamente o contrário. Ele vive na hiperrealidade. Tem noção completa dessa realidade e a manipula. Na verdade, manipula as outras pessoas para conseguir o que quer. O psicopata não sente culpa, não sente remorso. Só se preocupa com ele mesmo, com o prazer dele.

— É isso que você acha de mim? — perguntou, simulando uma expressão de choro.

— A tua pergunta é um claro sintoma. O psicopata finge que é bonzinho para facilitar a manipulação — respondeu, ainda brincando.

— Mas eu nunca fui boazinha.

— Então, pra que essa cara de sofrimento?

Virgínia mudou de assunto. Não adiantava duelar com um psicólogo. Gostava mais de Bibiano quando concordava com ela e se submetia às suas vontades. Precisava de um outro foco para a conversa.

— Eu te falei sobre a Nicole?

— Falou. Até agora ainda estou chocado com a participação dela no sequestro. Deve ser mentira. Você não acha que o teu namorado pode ter inventado isso?

— Que motivo ele teria?

— Sei lá. Mas essa história dos pseudônimos é muito louca.

— Você acha que ela é esquizofrênica ou psicopata?

— Não dá pra saber. Não conheço a Nicole. Mas, se ela assinou os e-mails com nomes de personagens históricos, pode estar com algum tipo de alucinação.

— Que nomes são esses?

Com aquela pergunta, Bibiano se deu conta da pouca idade de Virgínia. Não que isso fosse desculpa para a ignorância, mas uma garota de dezenove anos dificilmente conheceria os personagens de uma parte específica da história do Brasil: a história dos vencidos.

Que adolescente sabia quem foi Luiz Carlos Prestes? Qual de seus alunos conseguiria falar sobre o Cavaleiro da Esperança, um tenente baixinho e franzino que liderara a coluna de militares mais romântica do Brasil e lutara pela implantação do socialismo no país? Seria ainda menos provável terem ouvido o nome de Olga Benário Prestes, a alemã enviada por Moscou para lutar ao lado dele. Nem mesmo um filme recente sobre o assunto chamara a atenção da juventude. Era uma história datada, sem interesse para os garotos. Ninguém mais lutava por revolução. Estavam em outro mundo. Um mundo cujos valores se reduziam a passeios no shopping, compras e fast food.

O mesmo se aplicava a Carlos Lamarca, o capitão que pegou em armas para derrubar a ditadura militar. E a Carlos Marighela, que também foi um dos líderes da resistência ao golpe de 1964. Assim como suas esposas, de nomes muito parecidos, Iara e Clara, cuja participação ativa nas ações revolucionárias fez delas ícones da luta democrática.

E o que dizer de Rosa Luxemburgo? Aí então é que a lembrança era impossível. Que garoto ou garota da atualidade se interessaria por uma personagem que morrera havia quase cem anos? E ainda por cima alemã, fundadora do partido comunista em seu país, assassinada por paramilitares e atirada em um rio de Berlim junto com o companheiro que a ajudara a fundar o partido, Karl Liebknecht. Isso é que era nome difícil. *Decoreba, professor! Não consigo decorar esses nomes!*

Bibiano se incomodava com a amnésia juvenil. Procurava não julgar o desinteresse dos alunos, mas não conseguia deixar de se incomodar. Quem não conhecia o passado estava condenado a cometer os mesmos erros no futuro. Era um clichê desgastado, mas muito pertinente. Aplicava-se com precisão à garotada alienada que frequentava o campus da universidade. Mas, se era assim, por que estava no apartamento daquela menina, quase adolescente, namorada de traficante e com tendências psicopatas?

Ao vê-la desfilar de calcinha e sutiã pela sala, lembrou-se dos motivos. Talvez o psicopata fosse ele mesmo, pensou, enquanto a observava com fome. No mínimo, era um machista tarado, governado pelas pulsões sexuais e incapaz de evitar o joguinho sedutor de uma mulher atraente. Não se importava com a origem ou com a ética de suas conquistas. Nem com os conflitos morais que pudessem surgir dessas relações. A verdade é que não tinha a menor ideia do que era moral e ético. Preocupava-se somente com o prazer, a satisfação, o gozo. Era discreto. Mas apenas para evitar confusões desnecessárias e manter o status de conquistador. Estava convencido de que a única razão da existência usava lingerie, tinha pele morena e cabelos longos. Se pudesse multiplicar esse modelo até o fim da vida, sem compromissos, ficaria satisfeito. Bibiano não buscava a alma gêmea, a cara metade, a mãe dos filhos. Só queria alimentar o vício diariamente, sem restrições. Nada mais tinha importância.

Era o que Virgínia chamava de marido perfeito. Mesmo que fosse o amante. Ou melhor: exatamente por isso.

* * *

Quando Rogério atirou no chefe do tráfico da Rocinha, tinha certeza de que não havia outra opção. Já desconfiara da presença dele na entrega do resgate, pois o faturamento mensal de suas bocas de fumo era cinco vezes maior do que o valor pedido pelos sequestradores. Então, por que se arriscaria em comandar pessoalmente a operação? A resposta veio no momento em que percebeu a arma apontada para a cabeça de Arlindo.

— Fala, filho da puta! — gritou o delegado.

— Vai se foder, seu verme!

Tomou dois chutes na cara. Um dos policiais pisou no ferimento da clavícula. Outro apertou o joelho baleado. Rogério continuou com o interrogatório improvisado na calçada da Fundação Oswaldo Cruz, em plena Avenida Brasil.

— Fala, porra! Você ia matar o pai do garoto! Por quê? Quem te mandou fazer isso? Ia ganhar quanto?

Sentado na viatura policial, Arlindo podia ouvir o pacífico diálogo sobre o assassinato frustrado. Não um assassinato qualquer, mas o assassinato dele, Arlindo. Ele era a vítima, o quase defunto. Minutos antes, estava com um fuzil apontado para a cabeça. Não conhecia ninguém que tivesse passado tão perto da morte.

— Eu falo, porra! Eu falo! — berrou o traficante, incentivado pelo tratamento carinhoso dos policiais.

Rogério o puxou pelo capuz, arrastou-o pela calçada e o colocou de costas para a mureta, meio de lado, apoiado pelo cotovelo esquerdo. Sacou a arma do coldre, apontou para a região pubiana e atirou entre as pernas dele. A bala ricocheteou no solo e ainda raspou-lhe a parte interna da coxa.

— O próximo tiro não tem erro. Vai direto nos ovos da galinha. Tá ligado, seu merda? Só vou fazer uma pergunta de cada vez. Se mentir, perde o saco!

— Não vou mentir, porra!

— Quem mandou matar o pai do garoto?

— Foi um zé-roela lá do morro. Ele trabalha com uns políticos aí nessas paradas de eleição. Leva os caras na favela e dá uma grana pro movimento liberar a entrada.

— Que políticos?

— O último foi um deputado.

— O nome. Quero o nome, porra!

— Não sei. Não lembro!

— Vai levar um pitoco pra refrescar a memória.

— Não! Não! É Fonseca. O nome do deputado é Fonseca.

— Quanto ele te pagou?

— O faturamento de três meses do morro todo. Três meses, doutor! Já deu até metade pra gente desenrolar a parada. Mas só liberava o resto comigo. Eu é que tinha de meter as azeitonas nos cornos do cara.

— Tu é um vacilão, mesmo!

— Porra, doutor! Eu ia sair dessa vida! Apagava o figurão e vazava daqui com a grana. Nem voltava lá pro morro.

— E o garoto? Onde tá o garoto?

— Num barraco lá em cima. Mas eu ia liberar o moleque. Geral já tava avisado pra não passar o playboy. Mas agora não sei, não! A chapa esquentou aqui. Num dá pra garantir nada! Neguinho tá pesadão lá na favela, tudo com o dedo coçando. O bagulho tá solto, doutor!

Tomou outra porrada na cabeça. Rogério sabia que o traficante tentava negociar a libertação de Marcus em troca da própria liberdade. Não pretendia entrar naquele jogo, mas tampouco podia invadir o morro para estourar o cativeiro. O risco de os comparsas matarem o garoto era alto demais. Precisava ganhar tempo.

— Você acha que eu vou negociar com bandido?

— O senhor é que sabe, delegado. Só tô levando um lero, com todo respeito. Na moral, sem vacilo.

— Então diz aí: quem te deu o serviço? Como vocês conheciam a rotina do garoto? Quem fez a negociação?

— Se eu bater essa parada, a gente conversa? Sem esculacho?

— Quem é que tá de esculacho aqui?

— Tranquilidade, delegado. Na maciota, sem terror. Vou desenrolar esse papo contigo.

— Conta aí!

— Foi a mina do moleque. A gostosona, de olho verde. Ela é que bateu o serviço.
— A namorada do Marcus?
— Isso aí. Foi ela. Mandou na lata: quero meter o playboy!
— Como é que vocês conheceram a garota?
— A mina fazia trabalho social lá no morro. Coisa da faculdade. Um dia chegou pro meu gerente e disse que dava pra ganhar uma grana sequestrando o namorado dela. Ela bateu os horários do moleque, deu foto do carro e ainda disse qual era o melhor lugar pra fazer a parada.
— Quanto ela ia levar nisso?
— O mais sinistro é que a mina não queria grana. Disse que a gente podia ficar com tudo. Ela ia fazer os contatos com a família e a gente liberava o moleque depois de receber. Claro que eu fiquei bolado, né, doutor?! Mas a mina contou que queria se vingar do pai do garoto, esse figurão aí — disse, apontando para Arlindo.
— Que mais?
— Em cima da hora, ela bateu um fio pra gente pegar umas paradas que tavam no carro do moleque. Acho que eram umas fitas e uns papéis lá.
— São as fitas que estavam com o corpo da Samantha?
— Não sei disso, não!
— Vai falar ou prefere tomar um tiro no saco?
— Calma aí! Calma aí! Sem esculacho! Tamo junto, doutor!
— Junto porra nenhuma! Não sou teu comparsa! — gritou Rogério, desferindo um soco na clavícula baleada.
— Sem esculacho, porra! Sem esculacho!
— Então fala.

— As fitas foram junto com o presunto. Mas essa Samantha era bandida. Roubou a gente, doutor. Não valia nada.
— Quem você colocou no lugar dela? Quem vende o pó lá na faculdade agora?
— É outra mina. Mas eu não sei o nome dela.

Estava mentindo e Rogério sabia disso. Um policial disfarçado de aluno já informara o delegado sobre a nova rainha do tráfico. Além disso, ele se lembrava bem das acusações que Virgínia fizera a Karen, o que se encaixava perfeitamente com o desejo dela de assumir o lugar da falecida.

Ainda sentado na viatura da polícia, Arlindo abstraíra a iminência da morte por alguns minutos. Após ouvir as confissões do traficante, um torpor repentino invadira seus pensamentos. Se aquilo fosse verdade, a culpa pelo sequestro do filho seria ainda mais evidente, já que ele próprio trouxera Nicole para dentro de casa e incentivara o namoro com Marcus. Como podia ter sido tão estúpido? Tão cego? Tão irresponsável? Arrependia-se não apenas da ambição desmedida, mas da falta de critério na escolha. Filha de deputado!?, pensava, enquanto batia com a cabeça no volante do carro.

Rogério se aproximou.
— Dr. Arlindo.
— Pois não, delegado.
— O senhor não me parece bem. Um policial o levará para casa. E, por favor, chame um médico.
— Não vou a lugar nenhum. Quero o meu filho! Vim aqui para libertar o Marcus. Não saio sem ele.
— Não se preocupe. Daqui a pouco seu filho estará em casa com o senhor. É uma promessa.
— Você acha que esse bandido está dizendo a verdade?

— Sobre o quê?
— Sobre a participação da namorada do Marcus.
— Não dá pra confiar em bandido, doutor Arlindo. Mas temos indícios de que isso pode ser verdade. Basta o senhor lembrar que os e-mails com o pedido de resgate, que eram muito bem escritos, partiram da faculdade. E que a Nicole conhecia a rotina do menino como poucas pessoas conhecem. Além disso, ela fazia trabalhos sociais na favela e tinha acesso aos traficantes. Sem falar na descrição que deram da garota: bonita, olhos verdes, etc.
— Mas há um detalhe que está me incomodando.
— Qual?
— A ex-namorada do Marcus, a Raquel, tem as mesmas características. É bonita, tem olhos verdes e também estuda com ele na Faculdade de Psicologia. E, um tempo atrás, ela andou seguindo os dois pelas ruas da cidade. Chegou até a ser presa. Não poderia estar acontecendo uma confusão?

Rogério não respondeu. Não descartava a hipótese levantada por Arlindo, mas achava que ele estava apenas tentando encontrar uma maneira de se sentir menos culpado pelo sequestro. Nada mais. Mandaria uma equipe vigiar Raquel, mas só por precaução. Sobre Nicole, nenhuma dúvida: haveria um mandado de prisão em poucas horas, assim que a juíza assinasse o documento.

Fechou a porta da viatura e pediu ao policial que levasse Arlindo até a mansão. O detetive do chiclete, que estava com uma nova goma na boca, se aproximou do delegado.
— Isso não deve ser verdade, doutor.
— O que, detetive?
— Essa história da namorada planejar o sequestro. É muito óbvio. Não funciona assim. Deve ter sido a ex.

— Você está enganado, detetive. Na polícia, o óbvio responde por noventa e nove por cento dos casos. O principal suspeito é quase sempre o culpado. Só nos romances policiais as pessoas ficam procurando pelo menos óbvio, pelo surpreendente. Mas isso aqui é a vida real, detetive. A vida real.

— É. Tem razão. É a vida real.

— E joga esse chiclete fora, porra!

Rogério perdeu a paciência. Não estava disposto a desperdiçar seu tempo para ensinar um novato. Muito menos um novato que mascava chiclete e se escondia durante o tiroteio. Tinha um assunto mais urgente para resolver: libertar Marcus. Como não podia invadir o morro, só lhe restava uma alternativa, utilizar a estratégia da intimidação, que era arriscada mas costumava ser eficiente.

Voltou a engatilhar a arma e apontá-la para o púbis do traficante. Pegou o celular que estava com um dos comparsas mortos e o entregou para o bandido.

— Toma aí. Liga pro cativeiro e manda soltar o garoto. É tua única chance. Se ele não chegar em casa em uma hora, tu vai pra vala! E vai sem os ovos! Entendeu?

28. Persona

Na carceragem feminina da Polinter, no Centro do Rio, Jurema fazia suas primeiras amizades entre as presidiárias. Estava com sorte. Como tinha curso superior e direito a prisão especial, não precisara dividir as celas de quarenta metros quadrados do porão, onde dezoito detentas se aglomeravam em colchonetes espalhados pelo solo de cimento no espaço projetado para apenas sete, que também abrigava duas latrinas fétidas e um chuveiro de água fria.

As salas reservadas às presas universitárias tinham chuveiro elétrico, cama e até travesseiro. Suas três companheiras de cárcere tinham bom nível cultural, usavam maquiagem e podia-se dizer que não eram feias. Duas possuíam diploma de bacharel em direito. Uma pegara o marido em flagrante com a melhor amiga e despachara os dois para o inferno. A outra fora presa por fraude e estelionato, já que exercia a profissão sem a carteira da ordem dos advogados. Mas a terceira tinha uma história ainda mais dramática. Chamava-se Suzana e carregava no colo um bebê.

— Você foi presa por quê?
— Matei o pai da criança.
— O que ele fez?
— O safado abusava da menina.

Os casos de pedofilia eram mais comuns do que a sociedade imaginava. Na maioria deles, os pais figuravam como protagonistas. E não aconteciam apenas na parcela mais pobre da população, outro estigma infundado, mas amplamente difundido. O pai do bebê tinha mestrado em economia e trabalhava em uma multinacional. A mãe gerenciava o restaurante da família, fazia pós-graduação em marketing e se preparava para uma nova gravidez.

— Eu queria ter um casal. Já estava até vendo roupinhas de menino. Jamais imaginaria uma coisa dessas dentro da minha casa, partindo do meu marido. Um cara que eu conhecia havia mais de dez anos! Ele era doce, meigo, tímido. Era perfeito! Não dá pra acreditar! — ela disse, cabisbaixa, as pálpebras caindo sobre a pupila.

— Calma, você não tem culpa. Sua filha está contigo, é o que importa.

— Tenho culpa, sim. Não podia deixar a menina sozinha. Se eu não estivesse no restaurante, nada disso teria acontecido.

Na maior parte do tempo, Jurema nem lembrava que era psicóloga, professora universitária e supervisora de uma clínica. Estava sempre ocupada com os próprios problemas, com o prazer imediato, com a perene busca da satisfação pessoal. Era uma hedonista e não negava. Quando foi presa, achava que havia chegado ao grau máximo de desespero e infelicidade. Ninguém poderia estar numa situação pior do que a dela.

A história de Suzana devolvia-lhe, ainda que momentaneamente, o sentido da profissão. Um sentido um pouco piegas, pensou, mas era disso que tratava a psicologia: da pieguice neurótica do cotidiano. Ali, diante dela, estava uma mulher que precisava de seus serviços, de sua atenção, de seus conhecimentos.

Que a fazia lembrar de como seus problemas eram inexpressivos se fossem comparados aos dela. Como, aliás, os problemas de todo mundo. Olhar pro lado era um exercício que poucos faziam. Infelizmente.

Sentou-se na cabeceira da cama de Suzana e pediu-lhe que contasse toda sua história, desde o começo.

— Do casamento pra cá? — perguntou a mãe do bebê.
— Não. Desde a infância — respondeu Jurema.

Duas horas depois, um guarda penitenciário chegou à cela portando uma ordem judicial que libertava a psicóloga imediatamente. Era um *habeas corpus*, trazido pessoalmente pelo advogado, que a aguardava na sala do delegado.

— Diga a ele que espere. Estou trabalhando.

* * *

O tempo é uma abstração, não pode ser medido. Peça à garota apaixonada que espera pelo namorado no aeroporto para descrever o que significam sessenta minutos. Em seguida, faça o mesmo pedido a um condenado à morte. Não há dúvidas de que serão descrições diferentes, embora a medida seja a mesma. Tempo é expectativa, é o portão de ferro da angústia. Passa mais rápido ou mais devagar de acordo com o grau de ansiedade do porteiro. Os sentidos são insuficientes para percebê-lo.

Na mansão de Arlindo, as duas horas entre a libertação e a chegada de Marcus pareceram durar uma semana. A mãe, Etelvina, mesmo anestesiada pelos remédios, rezou metade de um rosário romano que trouxera do Vaticano. Evocou os parentes falecidos na pequena vila siciliana de Soroco, sua terra natal, de onde saíra com apenas um ano de idade para acompanhar os pais na viagem sem volta para a América do Sul. Ao rezar pelos mortos, acreditava na redenção da vida, ou seja, numa espécie de ressurreição representada pela volta do filho.

Os sicilianos costumavam sonhar com santos barrocos cantando árias italianas em igrejas da Sicília. Eram cantos de saudade por jamais terem estado naquelas igrejas. Arlindo nunca tivera esses sonhos, assim como nunca fora religioso. A ligação com os pastores anglicanos era apenas comercial. Mas, nos últimos dias, imagens sacras invadiam seu inconsciente onírico com regularidade. Sentia-se menos pagão, menos materialista, menos ambicioso. Fizera até uma promessa pela vida de Marcus: caminhar de Palermo a Soroco carregando a estatueta de São Genaro que ornamentava a mesinha de cabeceira da esposa.

Lá pelas duas da manhã, o delegado Rogério telefonara para avisar que uma viatura da polícia havia encontrado o filho de Etelvina e Arlindo na entrada da Favela da Rocinha. Marcus estava afônico, não conseguira nem pronunciar o nome, mas não tinha qualquer ferimento pelo corpo. Antes de levá-lo para casa, os policiais passariam na delegacia apenas para cumprir uma formalidade legal. O próprio Rogério se encontraria com a equipe a fim de acompanhar o garoto até a mansão de Arlindo. Mas isso acontecera duas horas antes. Não dava para entender a razão de tanta demora.

Os empregados mais íntimos também estavam acordados. Quando souberam da libertação, comemoraram como se Marcus fosse filho deles. Gritaram, abraçaram-se, pularam eufóricos pelos corredores da casa. Mesmo sem a autorização do patrão, colocaram champagne no gelo e fizeram sanduíches de salame com maionese. Arlindo estava apreensivo, ainda não falara com o filho e, portanto, ainda não via motivos para celebrar.

O médico da família foi chamado. Havia o temor de que as crises de asma do menino tivessem voltado durante o período no cativeiro. Uma ambulância estava de plantão na entrada da rua, junto com três enfermeiros enviados pelo Hospital da Lagoa. Duas primas distantes, que trabalhavam em jornal, apareceram de surpresa. Tinham ouvido sobre a libertação na radioescuta, um setor da imprensa que monitora as conversas radiofônicas da polícia. Não estavam ali para fazer reportagem, mas apenas para prestar solidariedade à família. Entretanto, se sobrasse um tempo, fariam uma entrevista exclusiva e dariam um furo nos concorrentes.

Alguns vizinhos insones acabaram se juntando ao grupo. Os principais sites de notícia já haviam divulgado o fim do sequestro. A rua começava a ficar cercada por curiosos. A empresa que fazia a segurança reforçou o turno da madrugada. As luzes das casas denunciavam a expectativa coletiva, até mesmo por parte daqueles que nem conheciam o garoto.

Às quatro da manhã, as sirenes dobrando a esquina anunciaram a chegada de Marcus. Na caravana, além da viatura de Rogério — que estava no banco de trás, ao lado do garoto —, outros dois carros faziam uma escolta preventiva. Não contra bandidos, mas contra a imprensa. O delegado queria preservar a família das especulações sobre o valor do resgate, que não fora pago, e ainda estava preocupado com as repercussões do envolvimento de Arlindo com o Secretário de Segurança no escândalo das obras públicas.

Entraram pelo portão principal, subiram uma pequena ladeira e estacionaram no saguão, um enorme hall cercado por colunas arredondadas de pé-direito duplo. Marcus abriu a porta do carro e foi recebido pelo pai, cujo pranto incontido deu uma dramaticidade peculiar à cena. O abraço demorado significava mais do que a volta do filho, mais até do que a evidente emoção por reencontrá-lo com vida. Ao apertar o filho contra o peito, Arlindo reencontrava a fé. O que nada tinha a ver com promessas aos santos ou orações bissextas. No caso dele, era a fé em si mesmo que retornava. Arlindo reencontrava Arlindo.

Etelvina se juntou aos dois no abraço. O rosário romano caiu no chão, mas ela nem percebeu. Pai, mãe e filho formaram um único corpo, uma trindade unificada na dor, na falta, na ausência. Dor, falta e ausência que não se dissolviam naquele ato sincronizado. Não seriam esquecidas. Pelo contrário: permaneceriam para sempre como a lembrança mais forte dos acontecimentos. E como a única forma de evitar que tudo se repetisse. Não havia encontro sem desencontro.

Os empregados trouxeram o champagne e os sanduíches. O estouro da primeira garrafa foi a senha. Os tios bateram palmas e cantaram hinos sicilianos. As primas jornalistas tiraram fotos com o celular. Novos vizinhos apareceram. Rogério e os policiais recusaram a bebida, mas não dispensaram o salame italiano. Só o médico da família se manteve sereno.

O exame foi rápido. Duas batidas nas costas, luz na garganta, estetoscópio no peito. Nada de errado, a não ser a afonia. Marcus não conseguia pronunciar qualquer som, o que, segundo o médico, tinha causas emocionais. Em situações extremas, dizia, o próprio organismo tratava de preservar as cordas vocais, impedindo seu funcionamento. Lei da natureza: não agir era a melhor forma de ação.

Enquanto ouvia as explicações sobre os remédios que deveria tomar para recuperar a voz, Marcus olhou de soslaio para a sala de visitas, onde a festa continuava. O que viu não parecia real. Não poderia ser real. Pelo menos, não naquela casa, onde as regras ditadas pelo patriarca valiam como lei pétrea. E, por essas regras, a ex-namorada estava proibida de entrar na mansão havia quase cinco anos. Mas era ela, não tinha dúvidas. Raquel vestia uma calça jeans desbotada, e, apesar da distância, Marcus pôde perceber que ela usava o velho anel de noivado da adolescência. Quis gritar, mas não conseguiu. Os lábios pronunciaram fonemas mudos. As sílabas do nome foram apenas sopradas.

Ao saber da libertação do filho, Arlindo mandara buscá-la. Foi a primeira pessoa para quem ligou, antes mesmo de contar a notícia para a mulher. No telefonema, pediu perdão pelos últimos cinco anos, disse que tudo seria diferente dali em diante e quase implorou para que viesse à mansão. Raquel se assustou com a ligação na madrugada, mas nem precisou pensar na resposta. Em poucos minutos, já estava na portaria do prédio, esperando pelo motorista da família.

Marcus se aproximou lentamente. Como não conseguia falar, movimentou-se com simbolismo, tentando mostrar que, assim como o pai, também ensaiava um perdão tardio. O gesto foi simples: juntou as duas mãos espalmadas, como se fosse rezar, apoiou o queixo nos polegares e fez uma reverência. Além do arrependimento, o gesto sintetizava uma tristeza mergulhada, funda. Tristeza de caverna. Tristeza histórica.

Naquele instante, o que sentia por Raquel não tinha a menor importância. Porque o que sentia só dizia respeito a ele próprio. Era a maneira como demonstrava o que sentia que de fato importava. E na história de suas demonstrações não havia motivos para festejar. A cabeça baixa, em posição reverente, reconhecia sua incapacidade.

Lembrou de quando dividiam a pequena mesa de madeira no jardim da infância. Das festas na casa de campo. Do beijo molhado na praia. Do noivado original. Lembranças interrompidas pelo trauma de outras lembranças, infelizes lembranças. Ainda com a cabeça baixa, Marcus lembrou da separação, do aborto, da covardia. No espaço de poucos segundos, cabia a vergonha de vinte e dois anos. E a interrogação sobre os próximos vinte e dois. Ou quarenta e quatro. Poderia envelhecer ao lado dela? A decisão não lhe cabia.

Ao erguer a cabeça, os olhos de Raquel estavam fixados nos dele. Olhos de claustro, ela pensou. Os mesmos olhos da escola infantil, da adolescência na serra, da juventude irregular, da maturidade plena, da velhice temporã.

Olhos de claustro. Durante toda a vida, Marcus teria olhos de claustro.

29. Sublimação

— Você é perfeito? — ela perguntou.
— Escrevo ficção — ele respondeu.
— Mais um de seus clichês?
— Como é que eu vou saber?
— Achei que soubesse.
— E sei.

Nicole estava sendo procurada pela polícia havia dois dias. Não tinha tempo para respostas complexas. O mandado de prisão fora expedido pela juíza da décima segunda vara criminal, amiga do delegado Rogério, cuja equipe fizera buscas em todos os locais possíveis. O apartamento fora revistado, a faculdade estava vigiada e até na casa de Marcus havia um policial de plantão. Mas ninguém se lembraria de procurá-la no apartamento de Pastoriza. O lugar parecia seguro, embora a fugitiva não se sentisse confortável. Ainda não compreendia muito bem a relação com o diretor da faculdade. Na verdade, não sabia nem se havia algum tipo de relação. O sujeito estava com as malas prontas: não se interessava por ela. Pelo menos, era o que pensava. Daí a insegurança.

— Por que você não me denuncia?
— Não tenho motivos.

— Sou uma criminosa, Antonio. Criminosa e fugitiva.
— Gosto quando me chama de Antonio. Todo mundo me chama de Pastoriza. Só você me chama pelo primeiro nome. Você e o delegado. Mas essa é outra história.
— Acho que não estou sendo clara contigo. Quem dá abrigo a criminoso é cúmplice, sabia? Isso dá cadeia!
— Quem é o criminoso?
— Sou eu. Eu, eu, somente eu! Qual é, Antonio? Você sabe disso. Eu sequestrei o Marcus. Tá nos jornais, no rádio, na TV. Fui eu que dei o serviço pro pessoal do morro e escrevi os e-mails pedindo resgate. Planejei tudo, Antonio. Os traficantes só fizeram a parte operacional.
— Quem planejou?
— Você tá surdo? Já disse que fui eu.
— Quem? A Nicole ou a Olga?
— Tá maluco, Antonio? Olga é a minha paciente na clínica. Não tem nada a ver com isso.
— Então, por que não consegui te dar o flagrante no dia do pedido de resgate? Como você passou aquele e-mail se estava atendendo a Olga e o Carlinho?
— Eu te enganei, claro! Você nem se deu ao trabalho de olhar pra dentro do consultório. Não havia ninguém. Eles tinham cancelado a consulta.
— Tem razão, não olhei.
— Viu só!

Pastoriza endureceu o tom:

— Para de se iludir, Nicole! Olga e Carlinho não existem. São uma invenção da tua cabeça. Ou melhor: uma ficção realista. Os sobrenomes que você colocou na ficha são famosos. Duas personalidades históricas: Luiz Carlos Prestes e Olga

Benário. Um casal revolucionário. Isso é que é loucura! Volta pra realidade, Nicole!

— Você tá me irritando, Antonio. Não brinca com coisa séria!

— Não estou brincando. Eu chequei os arquivos da clínica. Os registros são falsos. O endereço não existe, o telefone também não. Nada é real. Os relatos são todos fictícios. Foram inventados por alguém com muita criatividade. Alguém que gosta de literatura, que gosta de histórias, que gosta de escrever. Alguém como você, Nicole!

— Se você não parar com isso, vou embora. Prefiro ser presa do que ouvir essa maluquice.

— Acorda, Nicole!

— Tchau, Antonio. Tô indo embora.

Pastoriza recuou:

— Não, desculpe. Não vá. Fique aqui comigo. Eu passei dos limites. Me desculpe. Vou parar com essa conversa.

— Tudo bem. Mas não vou engolir a tua desconfiança. Você acredita em mim, não acredita?

— Claro que acredito.

— Então, vou acreditar que você acredita.

— Pode acreditar. Não vou insistir. Só me diz uma coisa: como eles estão?

— Quem?

— A Olga e o Carlinho. Quem mais?

— Acho que eles se separaram.

— Pra sempre?

— É. Acho que sim.

Pastoriza apontou o sofá para Nicole. Era o único móvel da sala que ainda não estava embalado, apesar de os pés já estarem envolvidos com plástico azul e fita crepe. Ela colocou duas almofadas embaixo da cabeça e se deitou de lado, tomando todo o espaço horizontal, enquanto ele puxou uma cadeira da varanda e a posicionou de forma que não pudesse ser visto. Formaram um *setting* psicanalítico, como se estivessem num consultório freudiano.

— Quer mais uma almofada?
— Não. Desse jeito está ótimo.
— Tente relaxar. Não pense em nada.
— É difícil. Não consigo.
— Concentre-se na respiração. Visualize o ar entrando pela boca, passando pela garganta e chegando aos pulmões. Depois, faça o caminho de volta.
— Você vai me hipnotizar?
— Claro que não. Nunca usei essa besteira. Só quero que você descanse. Que fique calma.

Nicole mudou de posição no sofá. Esticou as pernas e deitou de barriga para cima, fazendo uma concha com as mãos em cima do peito. Ainda tinha os joelhos ralados, um pequeno detalhe que chamara a atenção dele desde o primeiro encontro. De olhos fechados, ela respirou fundo e tentou relaxar. Pastoriza continuou sentado na cadeira, observando. Aos poucos, começou a balbuciar algumas palavras sem nexo, pequenos estímulos para ajudar no relaxamento. Era um truque que aprendera nas aulas de teatro durante a adolescência. Só quando percebeu que ela quase dormia voltou a falar.

— Posso te perguntar uma coisa, Olga?
— Vai insistir nisso, Antonio? Para de me chamar de Olga! Tanta técnica pra nada! Já estava começando a gostar desse sofá.

Assim, vou embora mesmo. Eu, a Olga e todas as outras que você inventar pra mim.

— Só queria esclarecer algumas dúvidas, Nicole.

— Então me pergunta diretamente.

— O partido de esquerda, por exemplo. Você lembra quando se filiou a ele?

— Foi na adolescência. Não podia nem assinar a ficha, mas entrei pela juventude revolucionária, fiz política estudantil, lutei pela classe operária.

— Mesmo com seu pai sendo de um partido de direita? E ainda por cima deputado?

— Exatamente por causa disso, Antonio. Cresci vendo as negociatas dele, a politicagem, os conchavos. Não podia compactuar com aquilo. Saí de casa muito cedo. Queria ser honesta. Precisava de sinceridade.

— No dia em que te conheci, você teve uma crise nervosa por causa do sequestro, mas, na verdade, já sabia de tudo. Aquilo ficou muito longe do que eu chamo de honestidade. Foi pura falsidade.

— Precisei fingir. Não tive alternativa.

— Mas fingiu muito bem, parecia uma atriz.

— Tenho talento pra coisa. Posso ser quem eu quiser.

— Quando você foi trabalhar com o pai do Marcus, já tinha planejado o sequestro?

— Não, claro que não. Eu sabia que o Arlindo era corrupto e tinha negócios com o meu pai e com outros deputados. O plano era descobrir as falcatruas e entregar tudo pra imprensa. Só isso.

— Por que o Marcus entrou no plano?

— Foi sem querer. Eu gostava dele. De verdade, gostava mesmo. Mas a revolução é mais importante do que esse amor pequeno-burguês.

— Como é que é?

— Isso mesmo! Amor é invenção da burguesia. É o ópio do povo, que nem a religião. Coisa de romance barato pra iludir o proletariado. Inventaram o romantismo só pra alienar as massas. Não dava pra deixar o garoto de fora! Ele é um deles. Burguesinho safado! O povo unido tem força, doutor! Todo poder vem da nossa luta. Somos a vanguarda. Morte aos capitalistas!

Nicole começou a levantar a voz. Na terceira frase já estava falando como se participasse de um comício em praça pública. As palavras de ordem saíam aos berros, compassadas, explosivas. Com o aumento do volume, veio também a mudança de linguagem. Pastoriza percebeu que o vocabulário descambava para um tom rude, quase grosseiro. Os palavrões não demorariam a aparecer. Mas o que mais lhe chamou a atenção foi o epíteto usado por ela: Nicole o chamara de doutor.

Como psicanalista, conhecia os sintomas da esquizofrenia, mas não costumava tratá-la, pois sempre encaminhava esse tipo de paciente para algum psiquiatra amigo. Na verdade, Pastoriza já não tinha qualquer tipo de paciente havia muito tempo e tampouco tinha certeza se Nicole era, de fato, esquizofrênica. Algumas vezes, acreditava que todas as suas ações haviam sido meticulosamente planejadas. Em outras, pensava que tudo era fruto de uma alucinação, um transtorno de personalidade derivado de um delírio psicótico. Nesse caso, a garota não poderia ser responsabilizada pelos próprios atos. Era inocente.

A dúvida não o angustiava. Pelo contrário, fornecia-lhe um estímulo a mais para permanecer naquela cadeira, ao lado dela, pelo tempo que fosse necessário. A ausência de certezas a aproximava dele, cativava seu desejo, dissolvia suas neuroses do passado. Talvez Nicole soubesse disso e tudo não passasse de uma tática para que ele desistisse da viagem. Não importava. Seria apenas mais uma dúvida, o que só aumentava o desejo.

Ela continuou com o discurso:

— A revolução vai partir das favelas! Tá me ouvindo, doutor? Fala comigo, doutor! Não fica nessa cadeira que nem um alienado. Tá calado por quê? Vamos subir o morro, conscientizar os trabalhadores. Pegamos dois ou três burguesinhos e fazemos eles pagarem pela revolução. Os traficantes são nossos aliados. Estão armados e conhecem o terreno. Vamos unir nossas forças. O partido organiza e os bandidos executam. Nosso plano é infalível!

"Não vai dizer nada, doutor? Tá parecendo o Carlinho, porra! Só fica mudo, não se manifesta, não dá opinião. Fala alguma coisa, doutor! Esse negócio de terapia é muito estranho mesmo. Fico aqui me esgoelando e o doutorzinho não diz uma palavra. Dinheiro fácil, hein? Se não é pra me dar conselho, pra que serve o teu trabalho?

"Você parece com os homens da minha vida, doutor. Cópia nítida. Cuspida e escarrada, como se diz lá na minha terra. Sempre indeciso, com o olhar vago, sem pulso. Incapaz de tomar uma tendência, de seguir um rumo. Daqui a pouco, vai me deixar sozinha na sala e pegar uma cerveja pra assistir o futebol. É o que todos fazem: fogem do fogo até quando estão com frio. São uns covardes, mesmo! Tome um norte, doutor! Seja homem!"

A cerveja era a melhor opção. Como diria o Bukowski, que era um poeta de classe, a cerveja é sangue contínuo, uma amante contínua. Mas Pastoriza tinha outros planos. E talvez outras amantes. Mesmo que não fossem contínuas como a cerveja e habitassem apenas um corpo. Um corpo esguio e urgente. Um corpo de joelhos ralados. E com múltiplas almas pagando o aluguel. O que mais poderia querer?

Olhos verdes, ele pensou. E canelas finas, ela completou, adivinhando o pensamento.

Nicole tinha olhos verdes e canelas finas.

Pastoriza a chamou de Olga. Ela respondeu. Em seguida a chamou de Iara. Ela também respondeu. E fez a mesma coisa com os nomes Clara e Rosa, sendo que, para o último, ela deu uma resposta em alemão fluente, como se tivesse morado a vida inteira em Berlim.

Poderia haver cinco mulheres no mesmo sofá. E outras tantas esperando a vez.

Nicole era perfeita.

FIM

Notas e agradecimentos

José Nóbio, porteiro do edifício onde moro — e conhecido pelos demais porteiros como Major —, foi meu principal consultor literário. Durante o tempo em que estive envolvido com este livro, Major leu e releu o texto com um olhar crítico muito peculiar. Apontou meus preconceitos, anotou meus erros e mostrou os diversos lados da mesma história. Fez jus à sua patente e merece uma promoção no Ministério da Defesa.

Priscila Correa, minha meteorologista, fez a revisão final e editou boa parte destas linhas analfabetas. Pina Coco, professora de Literatura da PUC, foi novamente generosa ao fazer a leitura atenta do texto e incentivar a publicação. Deonísio da Silva, escritor consagrado com o prêmio *Casa de las Américas*, também me incentivou com seus elogios à narrativa e à linguagem. Assim como João Assafim, professor da UFRJ, cujas palavras enaltecedoras muito me orgulharam.

Na Faculdade de Psicologia da PUC, o livro foi avaliado pelas professoras Teresa Negreiros, Norma Franco Salgado e Carmem Ferreira, que fizeram uma revisão técnica detalhada e deram a nota máxima para a apresentação do trabalho como dissertação monográfica.

Na Editora Record, tenho uma imensa dívida de gratidão com Luciana Villas-Boas, que acreditou no projeto antes mesmo de conhecê-lo. Da mesma forma, agradeço a paciência monástica de Ana Paula Costa, Gabriela Máximo, Bruno Zolotar e Ivanildo Teixeira. Meus alunos na UFF me fizeram entender o que significa escrever para a diversidade. Durante as aulas de oficina de contos, contribuíram com discussões sobre a linguagem juvenil e a composição dos personagens. Não há espaço para citar todos os nomes, mas sintam-se representados por Leonardo Nascimento, Ana Paula Abreu, Paula Paiva, Anabel Moutinho, Suzana Meireles, Giovanna Albanus, Colin Vieira, Pamela Souza, Nathan Kunigami e Thainá Braga, além de Aline Falcone, que leu os originais com entusiasmo adolescente, conferindo sentidos inesgotáveis ao texto. Como diz o escritor António Lobo Antunes, o nome do leitor deveria vir na capa, pois a obra pertence a ele, já que tem uma autoria diferente a cada olhar.

Em todas as etapas da minha vida contei com a ajuda de Antonio Areal, Josefa Pena, Antonio Pena, Carmen Garcia, Antonio Piñero, Rosa Villaverde, Luis Augusto, Glória Esteves, Adelino Ferreira, Dulce Ferreira, Viviane Pena e Herbert Viana, a quem agradeço a existência de meus sobrinhos Hugo e Pedro. Também fui feliz na escolha dos amigos, desde os tempos do Colégio Marista São José: João Marcelo, Carlos Garcete, Ricardo dos Mares Guia, Alessandra Garcete, Cristiana Dacha, Sandokan Sterque, Rodrigo Oliveira, Fabiana Oliveira, Rodrigo Trajano, Marise Cabral, Carlos Gamboa, Rachel Gamboa, André Pacheco, Márcio Bocão, Isabel Figueiredo, André Colpas, Marcelo Pereira, Luciano Pereira, Camille Pereira, André Pereira, Ricardo Pereira, Alexei Gabeto, Flávia

Oliveira, Marcelo Montenegro, Renata Montenegro e João Riche. Obrigado pela companhia de vocês.

As referências intelectuais são evidentes no texto. Autores como Freud, Balzac, García Márquez, Tom Wolfe, Gay Talese, Nietzsche, Rubem Fonseca, T.S. Eliot, Baudelaire, Drummond, Kafka, Antônio Torres, Hemingway, Ferenczi, Poe e os mais diversos nomes do romance policial e de entretenimento me inspiraram em diversos momentos da narrativa. Mas há trechos pontuais que devo mencionar com inegável admiração e também com o intuito de homenagear os pensadores que exerceram fundamental influência na composição deste livro.

No capítulo oito, me apoiei em parte de uma entrevista do psicanalista Contardo Calligaris à revista *Veja* para inspirar a fala do personagem Bibiano, que é um terapeuta comportamental. No capítulo treze, durante a discussão sobre ética, as citações de Foucault, Nietzsche e Sócrates fazem parte do excelente livro de Carlos Gerbase, *Os professores*, publicado pela Record e, até hoje, o melhor retrato dos meandros da vida acadêmica no Brasil. No capítulo catorze, de fato, recebi um e-mail anônimo cuja autoria tentei identificar sem sucesso, embora o conteúdo não seja idêntico ao publicado.

O começo do capítulo quinze foi parcialmente baseado em uma reportagem publicada no jornal *O Globo*, o que só confirma a vocação para a ficção jornalística do autor, que se esquivou de fazer o trabalho de campo para o assunto ali tratado (perdoe-me, Gay Talese). O capítulo vinte traz citações de Adam Philips e Georges Canguilhem, e o capítulo vinte e um é inspirado no *Seminário oito* de Jacques Lacan, assim como o capítulo vinte e dois se refere às obras de Melanie Klein e J.D. Nasio, mais especificamente, *On the Sense of Loneliness* e *O livro da dor e do amor*. No capítulo vinte e quatro, cito fábulas populares recolhidas por Jean-Claude Carrière e no vinte e cinco algumas reflexões de Irvin Yalom, um best seller mundial cujo sucesso é tratado com preconceito tanto pela psicologia como pela crítica literária.

A literatura é a única arte em que ainda permanece essa divisão entre erudito e popular. Em todas as outras há misturas, fronteiras híbridas. Para boa parte da Academia, a literatura se resume a experimentação e jogos de linguagem. Contar uma história não tem a menor importância. Dizem que quem se importa com isso é leitor barato, sem erudição, o que é uma atitude elitista, muito prejudicial à formação de um público leitor no país.

Mas continuamos otimistas. A você que chegou até esta última linha, minha perene reverência.

Este livro foi composto na tipologia Electra LH
Regular, em corpo 11/16, e impresso em
papel off-white, no Sistema Digital Instant Duplex
da Divisão Gráfica da Distribuidora Record.